「もっと頭が良かったらなあ」と
思ったことはありますか？

あるいは
「もっと頭が良くなりたい」
と思ったことは?

僕はあります。

それでは、
この「頭が良い」ということは、
そもそもどういうことなのでしょう?

これにはいくつかの要素があります。

①計算、思考の速さと正確さ
②創造性の高さ
③話術の巧みさ
④5教科の学力とそれに伴う学歴
⑤語彙力および雑学の知識の豊富さ
⑥推論能力の高さ
⑦実行力の高さ
⑧状況把握能力の高さ
⑨インタビュー能力（傾聴能力）の高さ

こういった能力の総称が
「頭の良さ」であると言われます。
「あの人は頭が良い」と言われる人は、
いずれかの能力が高いのです。

しかし、これらは「頭の良さ」のほんの一部、
表面的な能力でしかありません。
実はこれらはすべて、
〝ある力〟によって鍛えられた能力なのです。
それは、

「日々の生活の中で、
何が課題であるか、
どうすればより良くなるのかを
自分の頭で考えて、
試行錯誤し、
課題を正しく解決することができる力」
と言うことができます。

課題を見つけて
その解決策を正しく導く力さえあれば、
どんな能力でも自分で高めることができるでしょう。

つまり、頭が良くなりたいのなら、
この力を身につけるのが一番。

本書でご紹介する勉強法を実践すれば、
単に学力や試験の点数を上げるだけではなく、
社会を生き抜くために必要な
「本当の頭の良さ」も身につけることができます。

子どもたちのみならず、
大人になってからも、
「私はあまり頭が良くないから……」
そんな思いを抱えている方は
少なからずいらっしゃいます。

でも、大丈夫。

あなたもこの本を読んで、
訓練さえしてくだされば、
あなたにとっての
「世界に一つだけの勉強法」を見つけて、
もっと「頭が良く」なることでしょう。

そして会う人会う人から
「頭が良いですね」と言われて
「いや、そんなことないですよー！」と
謙遜(けんそん)する日々がやってくるかもしれません。

そんなワクワクを胸に、
さあ次のページをめくってみてください！

効率的な勉強法ってなんでしょう?

皆さん、こんにちは。坪田信貴です。

僕はこれまで塾講師として、1300人以上の子どもたちの学習指導を行ってきました。

その生徒のうちの一人である「さやかちゃん」の奇跡の実話を描いた僕の処女作、『学年ビリのギャルが1年で偏差値を40上げて慶應大学に現役合格した話』は、おかげ様で大きな反響をいただき、今では累計125万部を突破しています。

あの本の出版以来、本を読んだ方、映画化作品をご覧になった方、あるいは「どちらも見ていないけれど、〝ビリギャル〟という名前だけは知ってるよ」という方から、〝ある質問〟を頻繁（ひんぱん）にいただくようになりました。

それは、**「効率的な勉強法を教えてください」**というものです。

受験をひかえた子どもがいらっしゃる親御さんは、部活動や学校行事にも忙しい限られた時間の中で、より短期間でわが子の成績を伸ばしたいと考えていらっしゃるのでしょう。

「効率」を求めているのは、ビジネスパーソンの方たちも同じです。

長寿化、および定年延長により、誰もが70歳近くまで働く時代がやってきました。

そうした時代において、「学ぶ」ということは、もはや学生時代だけの一時的な行為ではなく、社会で活躍していくために必須な営みとなっています。

「勉強しなきゃヤバいよなあ……でも時間がないなあ……」

そんな漠然（ばくぜん）とした不安を抱えている人は、学生だけではなく大人にも多いものです。

しかし現実には、忙しい仕事の傍ら(かたわら)で、勉強が習慣になっているという人はごくわずか。そうした状況から、最低限の労力で成果を挙げられる効率的な勉強法を求めているのでしょう。

それでは、効率的な勉強とは何なのか。

いきなり水を差してしまい、とても心苦しいのですが、正直に言います。

残念ながら、そんな方法はありません。

実は、この質問をされるたびに、僕には違和感がありました。

何かお答えせねばと思うのですが、適切な答えが思い浮かばないのです。

そしてその問いと向き合い続けていたとき、違和感の正体に思い至りました。

「全員に共通する」効率のいい方法を探しているから、答えがないのだと。

なぜ勉強法の本を読んでも頭が良くならないのか？

　高校時代のさやかちゃんをはじめとする勉強が苦手な子たちを、世間は「バカ」と呼びます。成績が悪い、素行(そこう)が悪い、要領が悪い……そんな子たちを全員まとめて「ダメなやつ」呼ばわりするのです。

　しかし彼女たちと話してみると、当たり前ですが、一人ひとり個性があることに気づかされます。得意不得意の分野も違えば、性格も、興味の対象も違う。

　と、するならば**成績を上げるための最短のアプローチも一人ひとり異なって当然ではないでしょうか。**

　にもかかわらず、教えられる勉強法は画一的(かくいつてき)。

　たとえば、「英語は音読するのがいい」という理論の下、生徒全員に同じ英文を同じ回数だけ声に出して読ませます。

たしかに、その方法で成績が伸びる生徒もいるでしょう。しかし、全員ではありません。ある生徒にとっては効果的な勉強法でも、ほかの生徒ではまったく成果が出ないということは往々にしてあるものです。

読者の皆さんにも、先生から教わった勉強法をやってはみたけれど、あまり成果が出なかったという経験をお持ちの方がいらっしゃるのではないでしょうか。

あるいは本に載っている勉強法を試してみたけれど、続かなかったということもあるかもしれません。

世間には勉強法について書かれた本が山ほど出版されています。

その多くが理にかなっていて、とても参考になる方法論です。

ただ、ここで注意しなければならないのは、それらはあくまでも「ある特定の人の成功体験を元に確立された方法」であるということ。

その人にとっては素晴らしい方法でも、必ずしもあなたに合う方法かどうかはわかりません。

見方を変えれば、もしあなたがこれまで定期試験や大学受験、資格取得など、学力を問われる場で成功したことがなくても、それはあなたの頭が悪いからではないということです。

つまり、**あなたに合った勉強法を知らなかっただけ**なのです。

僕はこうした信条から、「子別指導」という形式にこだわって学習指導をしてきました。

パッケージ化された勉強法が性に合わず、他人から「バカなやつ」「ダメなやつ」というレッテルを貼られ、自分でも「私は頭が悪い」と思い込んでいる――。

そんな子どもたち一人ひとりと向き合い、その子に一番合った適切な方法を一緒に探したい。デキないと言われる子を、デキると言われる子に変える方法を、極めてみたい。

そう思ってここまで走り続けてきました。

今思えば、僕がそんな志を持つようになった背景には、自分自身の高校時代の経験があるように思います。

何を隠そう僕自身、昔は世間で言うところの「ダメなやつ」だったからです。「ホントに?」という声も聞こえてきそうですので、プロローグとして一つ昔話をしたいと思います。

教師に言われた衝撃的なひと言

僕は高校生の頃、お世辞にも優等生と言える生徒ではありませんでした。入学してすぐのテストで、順位があまり振るわなかったことをきっかけに、すっかり勉強する気がなくなってしまったのです。

僕のやる気のなさに拍車をかけたのが、ある先生でした。何かにつけ厳しく注意をしてくるその先生が、僕は大嫌いでした。そして、ますます勉強から遠のいていき、1年生の終わりには進級の可否が会議にかけられたほどでした。

そんなある日、例の先生に「おまえは癌で言えば末期だ！」と宣告されたのです（今考えても笑えるほどすごいセリフ！）。

末期宣告に衝撃を受けた僕は、職員室に謝りに行きました。

「先生のおっしゃる通り、僕は最悪な生徒でした。けれど、さっきのひと言でハッとしました。これからは心を入れ替えようと思います。ノートの取り方、授業の受け方、家での勉強の仕方など、僕にイチから勉強法を教えてください」

そう、真摯に教えを請いました。

そして……、**全部違うやり方で勉強したのです。**

たとえば、「単語を10回書け」と言われたら「1回しか書かない」など、まさにあまのじゃくな方法でした。

大嫌いな先生の言うこととは正反対のやり方で結果を出して、一泡吹かせてやりたい。

その思いを胸に、自分なりに試行錯誤しながら勉強を進めていくうちに、僕の成績はだんだんと上がり、勉強自体も楽しくなっていきました。

はじめは単なる幼い復讐心からの行動で、今では笑い話なのですが、僕はここで大切なことを学びました。

それは、**「自分に合った勉強法を自分で確立する方法」**です。

TOEIC®で満点を取得するなど、僕が勉強で成果を出せた理由の一つには、その方法を早くから確立していたということが挙げられます。

この本では、僕が今までの経験で培ってきた「学ぶ方法」を皆さんにご紹介します。

自分にはどのような方法が向いているのか、どうすれば勉強を継続することができるのか——あなただけの、そう、**「世界に一つだけの勉強法」**を見つけるための方法論です。

「そのフレーズ、どこかで聞いたぞ」と思われた方。きっと、日本人の誰もが知るあの曲、『世界に一つだけの花』を連想されたことでしょう。

メガヒットにあやかろうと思って適当な名前をつけたわけではありません。

この曲が語るメッセージと本書の内容には深いかかわりがあるのですが、それは本編でお話しするとして……。

あなたはどこまでも変われる

覚えておいていただきたいのは、**「誰にでも、これまでの自分を変える方法がある」**ということです。どんな人にも、その人のためだけの勉強法があって、この本を読めばそれを見つけられる、ということです。

さらに端的に言えば――「あなたは必ず変われる」ということです。

僕はこの本を、「勉強に苦手意識がある人」に向けて書きました。

勉強が嫌いだった人、学校の成績が悪かった人。

学歴コンプレックスのある人、頑張ってもどうせダメだと思っている人。

資格試験や語学の勉強をしたいけれど、方法がわからない人。

どんな人でも、必ず「頭が良い」と言われるようになります。

そして何歳からでも、**自分では想像もしていなかったような大変身を遂げることができる**のです。

さやかちゃんが最初に「慶應義塾大学に行く」と言ったとき、周囲の人たちは「絶対ムリだ」と彼女を笑いました。さらに、彼女自身でさえも本気で受かるとは思っていませんでした。

きっとこうしたことは、日本中のあらゆる場所、あらゆる分野で起こっているのだと思います。

しかし世の中に、絶対ムリなことなどあるのでしょうか?

周囲の目を気にして、自分はこの程度という「枠」にとらわれて、無理と決めつけているだけではないでしょうか。

さやかちゃんに起こった奇跡は、ジアタマが良かった人の特異なサクセスストーリーではありません。まだ見ぬ可能性を信じ、自分を変えようと奮闘した一人の女の子の成長の証なのです。

そして**自分自身の可能性を信じることさえできれば、その奇跡は必ずあなた**

も起こすことができます。

『ビリギャル』の発刊以降、勉強に悩むたくさんの方々とお話しする機会に恵まれました。

そしてその方たちのために、僕が知っている「自分を変える勉強法」のすべてを1冊にまとめてみようと思い、筆を執りました。

あとは、読者の皆さんが、それをやるかどうかです。

あなたは、自分を変えたいですか？

斜に構えて「どうせ勉強なんかしたってムダ」と言っていたいですか？

後者の方々も、考えてみてください。

単に勉強嫌いだからそう言っているだけですか？

そもそも「勉強の意味」とは何だと思いますか？

その答えが見えたとき、勉強の楽しさが見えてきます。

本書が語る勉強の方法論には、「学ぶ喜び」や「やる気」といった、勉強に対する気持ち全体を変える方法も含まれています。
「やらされ感」から「やる気」へ、苦手意識から好奇心へ。
新しい自分になるための扉を、ぜひ開いてください。

坪田信貴

世界に一つだけの勉強法　目次

第3章

一番テンションの上がる目標を定める
——誰かが決めた「枠」を外す方法

知っておきたい勉強の基本
――一生使える「勉強PDCAサイクル」 155

第5章 自分にピッタリの勉強法の見つけ方
――心理学でわかる「性格タイプ別勉強法」

第6章

みんな勉強なんか
やりたくない

――やりたくないものにやる気を出すためには？

あなたは本当に勉強したいですか？

日本人の９割は勉強が大嫌い

最初に、シンプルな質問をしましょう。

あなたは、勉強したいですか？

「したくない」と答えた方、大丈夫。プロローグでも触れたように、僕は今でこそ塾講師として勉強を教える立場にいますが、昔は勉強が嫌いでした。この本は、そんな僕の経験も踏まえつつ、勉強嫌いのあなたに向けて書いた本です。

さて、「したい」と答えた方、もしかして無理をしてはいませんか？

勉強をしたい、しなくちゃ。

でも――なかなか続かない、やる気が出ない、そしてもちろん成果も出ない……。

そんなストレスを抱えているからこそ、勉強法の本に興味を惹かれたのではないでしょうか。

実際のところ、日本人のほとんどは勉強嫌いです。

本当に勉強が好きな人は、多くても1割程度で、あとの9割は「したくないけど、しなくては」と思っているか、「したくないから、しない」というのが現状ではないでしょうか。

それは決して、その人たちの性格や能力によるものではありません。

元凶は、日本の教育システムにあります。

日本という国は、勉強嫌いを「つくる」国だと僕は思っています。

日本の教育は極端に一律化されていて、しかも著しく合理性を欠いています。

早い話が、「しんどいこと」を山ほどさせられる仕組みになっているのです。

たとえば、「漢字の書き取り」。

同じ漢字を何度も繰り返し書かせられる、アレです。夏休みの宿題の典型例とも言える、恐ろしく単純なあの作業が好きだった人は、おそらくいないでしょう。僕も大嫌いでした。

新しく習った漢字を、1回書くだけで覚えられる子もいれば、10回書いても覚えられない子もいます。漢字の得意な子どもは同じ漢字を延々と書くことに退屈を覚えますし、苦手な子どもは苦痛の記憶のみを心に刻みます。個人差を無視して同じ方法をとらせることで、すべての子どもがストレスを覚えるのです。

ついでに言うと、教師たちにとっても漢字の宿題を見るのは退屈な作業です。

何人もの子どもが書いた、漢字の羅列(られつ)。指定された回数をちゃんと書いているか、汚い字で書いていないか、といったことをただ見るのみ。そんな作業が面白いはずはありません。

では、どうしてこんな宿題があるのでしょうか。

教育システムを作っている人たちの目的は、おそらく次の二つです。

一つは言うまでもなく、漢字の習得。

もう一つは、量をこなすことで学習の習慣をつけさせること。

しかしこれ、実はどちらも失敗しています。

なぜなら子どもたちは、「イヤイヤ」やらされているからです。

量をこなすことが、記憶や習慣につながること自体は否定しません。

しかし、苦痛の感情とともに反復すると、記憶には残りづらくなります。

「嫌だなあ」という気持ちが何度も刷り込まれ、結果として残るのは「勉強に対する拒否反応」だけになってしまうのです。

「長時間勉強」がエライ、という誤解

「それくらい我慢すべきなのでは？　勉強はそもそも苦しいものでしょ？」

「それを耐えられないようじゃ、ダメなんじゃないの？」

と思った皆さん、それが間違いのモトです。

勉強は苦しいものだと、誰が決めたのでしょうか？

塾講師をしていると、この「勉強＝苦行」という考え方にしょっちゅう遭遇します。

たとえば、親御さんから「先生、ウチの子根気が続かなくて、1日2時間も勉強しないんです……」といった相談の多いこと多いこと。

親御さんたちの嘆きはつまり、長時間机に向かっていられないという、子どもの「苦行に対する忍耐力の欠如」。

2時間も勉強が続かないのはダメな子。5時間勉強するのはエライ子……。

でも、本当にそうなのでしょうか？

仕事は、長くやればやるほどエライですか？　そんなことはありません。長々と手をかけすぎて期限を破れば、信頼を失います。

実は、生活全般あらゆることがそうなのです。朝の身支度に3時間かければ会社に遅刻します。家事をする方も、毎食の支度に3時間かければ家族から苦情が出るでしょう。

つまり物事は、**「短時間で目的を達成するほどエライ」**のが鉄則。

なのに、勉強だけが時間をかけるほどエライとされているのです。

なぜ、勉強だけがこのような考え方に支配されるのか。

それは、知らず知らずのうちに、「手段の目的化」という現象が起こっているからです。

勉強とは本来、何らかの成果を出すための手段です。

ところが、なぜか「勉強すること」自体が目的化していて、それを長時間行うことに価値が置かれているのです。

これは同時に、「勉強の目的を見失っている状態」とも言えます。

何のために勉強をするのか、考えたことはありますか？

学生さんなら「ドコドコ大学に受かるため」と答えるでしょうが、それもま

手段の目的化

〈仕事〉

短時間で達成
するほどエライ

〈家事〉

短時間で達成
するほどエライ

〈勉強〉

長時間やる人がエライ

→「勉強すること」自体が目的に
なっていて、それを長時間行う
ことに価値が置かれている

た手段に過ぎません。ドコドコ大学に入ることによって、何を得たいのでしょうか。

若い社会人の方の場合はさらに曖昧（あいまい）でしょう。勉強することによって何ができるか、何がしたいか、きちんとイメージできていない人が大半ではないでしょうか。

「個人の成長」――ナンバーワンよりオンリーワン、は本当か？

では、勉強の目的とは何なのでしょうか？

僕は究極「個人の成長」だと思っています。

成長とは、「できなかったことが、できるようになること」です。

学生の場合、テストの「×解答」が「○解答」になること。

社会人ならアイデア創出や問題解決など、自らの思考で課題を設定し、そしてその解決策を作れるようになること。

見えなかったものが見える、理解できなかったことが理解できるようにな

勉強の目的とは何か？

勉強の目的＝個人の成長

⬇

成長とは、
「できなかったこと（×）が、
できるようになる（○）こと」

〈学生の場合〉

「×解答」が「○解答」になる

〈社会人の場合〉

自分で課題を設定し、その
解決策を作れるようになる

る。これを望まない人がいるでしょうか？

そう、成長を望まない人間など、一人もいません。

「いや、私は別に……」

と思った方、その理由は何でしょう。

「私は、ありのままの私でいたい」

「人と比べたりせず、自分らしくいたい」

なんて、考えてはいませんか？

もしかすると頭の中に、「ナンバーワンよりオンリーワン」と歌う、「あの曲」が流れてきたのではありませんか？

はい、ここでようやく登場しました。

タイトルにも拝借させていただいた、『世界に一つだけの花』。

「花屋に並ぶ花々は、人によって好みは違うけれど、皆美しい」

「他人と比較せず、自分らしく生きよう。僕たちはもともと特別な存在なのだから」

そんなメッセージを歌い上げるこの曲は、たしかに名曲です。

しかし名曲なだけに、実に危険な曲だと僕は思うのです。

考えてみてください。あの花々は本当に「争うこともしないでバケツの中誇らしげにしゃんと胸を張っている」のでしょうか?

実は、あの花々が店先に並ぶまでには、幾度（いくど）となく熾烈（しれつ）な競争が繰り広げられています。

農場や温室で育てられている間、花たちはより綺麗に咲くべく、土の栄養を奪い合います。奪われた側の花はヒョロヒョロと見栄（みば）えがしないので、出荷の前にはじかれ、廃棄されてしまいます。

店に届いた後も、花びらに傷がついていたり、しおれていたりすれば、やはり廃棄に回されるでしょう。

そして、その競争を潜り抜けたエリートたちの中でも、さらに選りすぐりの美しい花々だけが、「店先に並ぶ」のです。

つまり、あの花々は競争に勝ったスーパーエリート。もともと特別なオンリーワンとは程遠い存在なのですね。

成長の先に、真のオンリーワンがある

「じゃ、私たちはオンリーワンではないということ？」

という声が聞こえてきそうですが、この答えは半分ＹＥＳで、半分ＮＯ。

僕は、その人がその人らしく生きることは決して否定しない——というよりは、そうあってほしいと切望しています。

その意味で、この曲のメッセージにはむしろ大賛成です。

しかし僕が、違和感を覚えるのは「もともと特別なOnly one」であるという部分。

聴き手はえてして、自分に都合よく解釈して、この曲の本当に言いたいことを誤解します。「その人らしく生きること」と、「今の自分のままでいい、と思うこと」を混同してしまうのです。

「じゃ、競争に勝ってナンバーワンにならないと意味がないの？」

という声も聞こえてきそうですが、その答えはNOです。

必要なのは、必ずしも他者との比較に勝つことではありません。

僕が言う「成長」とは、自分を改善していくこと。

つまり、昨日よりもより良い自分を築いていくことです。

受験戦争しかり、企業の生存競争しかり、人生にはたしかに競争がありま す。その中では勝つことも負けることもあるでしょう。しかし大事なのはそこではありません。

勝ちという成功からも、負けという失敗からも、人は学びます。そこから新たな視野を得てまた一歩進み、前とは違う自分になっていくことが重要なのです。

そうした営みの先に、真のオンリーワンな人間性が形成されます。

オンリーワンとは決して、「今の自分」に甘んじてそこにとどまることではありません。

僕たちは「もともと」オンリーワンなのではなく、「これから、成長した先に」オンリーワンになっていくのです。

僕らは「一人一人違う種を持つ」……のか？

では、成長する＝「とどまることなく進む」には、何が必要でしょうか。

しつこくて恐縮ですが、あの曲にもう一点だけ、ツッコミを入れさせていただきましょう。

僕たちは「一人一人違う種を持つ」存在だとあの曲では歌われていますね。

しかし僕は、**人間は「種」ではなくて、「土」**ではないかと思うのです。

種に相当するのは、「課題」と「方法」です。

課題とは、学校の教科や学問分野、社会に出てから学ぶべきスキルなど。

方法とは、それをいかに習得し、収穫を得るかという手立てです。

そして僕らは、それを育てる「土」です。

土の成分は、それぞれ違います。稲が育ちやすい土壌もあれば、トマトが育ちやすい土壌もあるでしょう。ナシ、カボチャ、ブドウ、ネギ、ソバ、それぞれ適した土壌は違います。

ここで思い出していただきたいのが、先ほど指摘した学校教育の画一性です。

学校教育の基本方針はとてもシンプル。「とりあえず全員に稲を植えようぜ！」です。

そして、稲が育ちやすい土壌の生徒は、「優秀」だと認定されます。

しかし、トマトやナシやカボチャが育ちやすい土壌を持つ、稲が育ちにくい土壌の生徒は、「ダメな生徒」だとされてしまいます。稲以外が育つ可能性は、ごっそり見落とされるのです。

そして、ダメ認定をされた子どもは、「自分は何を植えてもダメな土なんだ」と自信を失い、萎縮してしまいます。

ならば、僕らは何をすればいいか。答えは簡単です。トマトやナシやカボチ

人間は「種」ではなく「土」

Aの勉強法で勉強すると

成果が出る！

Aが合う土

Aの勉強法で勉強すると

種が合わないと
成果が出ない……

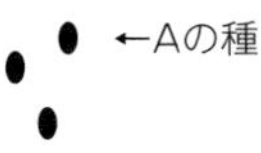

Bが合う土

Bの勉強法で勉強すると

成果が出る！

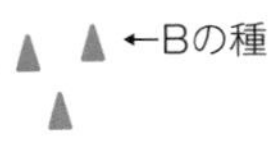

Bが合う土

ヤやブドウやネギやソバ……あらゆるものを試しに植えてみるのです。

何なら農場に限りません。その土の上で、家畜を育てたっていいわけです。

地盤(じばん)が堅いなら、建物を建てて商売するのもいいでしょう。

たとえば**「成果が出る勉強法」という種を見つけたいのなら、色々な方法にチャレンジしてみて、本当に自分という土壌に適したものを見つけ出さなければなりません。**

それが本書で言う、自分だけの「世界に一つだけの勉強法」なのです。

「魔法」を求めても意味がない

あらゆるものにチャレンジしてみる。

そう言うと、

「色々試さなきゃいけないの？　面倒くさい……」

とガッカリした人も多いと思います。それはきっと、「こうすれば勉強は必ずうまくいく！」という、この世に唯一にして最強の勉強法があって、僕からそれを教えてもらえるらしい、と思っていたからでしょう。

しかし、残念ながらそんな方法は存在しません。どんな土でも立派に作物が育つ魔法のような種はないのです。

僕は常々、そういう「魔法」を求めている人が多すぎると感じます。

塾の中でも外でも、しょっちゅう「効率的な勉強法を教えてください」という質問を受けるのですが、この質問を別の言葉に言い換えると、「ラクして成果を挙げさせてください」ということです。

しかし、先ほど述べた通り、人それぞれ、向いていることと向いていないことがあります。

先生に言われた勉強法や、本に書いてある勉強法を試してみたけれど、自分にはしっくりこなかったという経験をしたことはありませんか？

ある生徒には有効な勉強法でも、ほかの生徒では成果が出ないということも往々にしてあります。簡単でラクチン、誰でもスイスイできるようになる「効率的な」勉強法を求めても、不毛なのです。

自分に合った勉強法とは？

突飛かもしれませんが、この「魔法を求める人たち」を見ていると、僕は「玉の輿に乗りたい人」を連想します。

東大医学部の学生やら、どこぞのエリート社員やらとのお見合いパーティに足しげく通い、結婚相手をゲットしようとする人は、「ラクしてステイタスとお金を得たい」と思っているのかもしれません。

しかし本当に東大医学部の配偶者をゲットしたいなら、もっとも成功率が高いのは東大医学部に入ることです。同級生は全員東大医学部ですから、選びたい放題です。

「え〜そんなの無理〜」と思いますよね。けれど自分がそれ相応の努力をしていないのに、すごい相手をゲットすることなどできるのでしょうか？

「ラクして成果を得たい」と思うのは、小舟から豪華客船に飛び乗ろうとするようなもの。

必要なのは、豪華客船からハシゴが降りてくるのを待つことではなく、自分でオールをこぎ、ハシゴをかけること。

つまり、誰かの力を頼るのではなく、自分で考えて実践することです。本当に玉の輿に乗れる人も、自力で「玉の輿スキル」を磨き上げてこそ、成果を得られるのです。

というわけで、僕が言いたいのは、**「自分に合った勉強法は自分で探そう」**ということです。

とはいえ、何から手をつければいいのかサッパリという方、ここで諦めないでください。

たしかに適した勉強法は人それぞれですが、「世界に一つだけの勉強法」を見つける手立てには、最短かつ確実なものが存在します。

この本でお教えするのは、この最強の方法論です。

それは僕が長年、様々な生徒――それも「デキない（と世間で言われている）生徒」と数限りなく接する中で発見したものです。

その具体的な方法は4、5章でお話しします。

「戦略」なくしては何も始まらない

「世界に一つだけの勉強法」を見つけるための具体的な方法論をお話しする前に、ここで一つ、昔話をしましょう。僕が勉強の本質に気づくきっかけとなったある生徒の話です。

僕が塾講師としてスタートを切ったのは、20代前半の頃でした。

しかしその仕事を始めてすぐ、僕は違和感を覚えました。

生徒が質問に来る。僕はそれを解説する。生徒が納得して勉強を再開する……。

「え？　これ意味あるの？」と思いました。

その頃僕は、早稲田大学の商学部でどのような問題が出題されるのかわからないばかりか、自分の生徒の志望校さえ知らずに、ただ聞かれたことに答えていたのです。

そこで隣に座っていた先生に、「すべての大学の傾向を把握した上で指導されているのですか」と聞いてみました。すると、

「いや、わからないよね」

という答えが返ってきました。

先生は教材を使って教えるだけ、生徒は目の前の問題をただ解くだけ。志望大学の入試科目・配点・出題傾向などの把握や分析を、誰も行っていませんでした。

目的達成に必要不可欠なもの、すなわち「戦略」が絶望的に欠けていたのです。

ところで「戦略」と言うと何を思い浮かべますか？

有名どころでは、孫子の兵法の「彼を知り己を知れば百戦殆からず」という言葉がありますね。

敵を知り尽くし、自分のことも理解すれば、どんな戦いも勝てるという、戦略の本質を一言で言い切った名言です。

ちなみにこの言葉、順番にも重要な意味があります。**まず敵を知り、その上で自分の側の対策を考える。**戦争なら敵の弱み、受験なら出題傾向を知ってから対応する、これが鉄則。

しかしこのときは、みんな敵を知ろうとしていませんでした。もちろん塾講師を始めたばかりの僕にも、戦略を立てるだけの知識がありませんでした。

ウンザリした僕は、すぐに「向いてない、辞めよう」と思いました。

意欲を完全になくし、数日間欠勤を重ねたのです。

仕事を休み始めてから3日が経ち、さすがに塾から電話がかかってきました。僕は休んだ理由ともう辞めたいと思っていることを包み隠さず話しまし

た。すると、

「じゃ、取りあえずさ、生徒たちも心配しているから挨拶だけでもおいでよ。あと1日だけ来たらいいじゃん」

と言われたのです。そこで、「まあ、1日だけなら……」と思い、次の日塾に行くことにしました。

そして、「辞める前の最後の授業」のつもりで臨んだ場で、運命が変わりました。

僕を変えたのは、生徒の一人・Yくん。

成績は最悪、素行もよろしくない、そのくせに偏差値60を軽く超える名古屋大学を志望するような、一言で言えば問題児と言われる生徒でした。

そのYくんが、「坪田先生がいない間、寂しかった」と言うのです。

僕の指導は楽しくてわかりやすかったこと。金髪ロン毛（当時の僕はそういうルックスでした）がユニークで面白かったこと。

デキのいい生徒とは言えないYくんのその言葉に、僕は不思議なほど心動かされてしまったのです。

「この子の受験までは、とりあえず続けてみよう」と思いました。

それから1年。

色々苦労はありましたが、結果だけを言いますと、Yくんは名古屋大学に合格しました。法学部に入学し、弁護士を目指す青年となりました。

僕も、もう前の僕ではなくなっていました。

デキないと言われる生徒さんが、デキると言われる生徒さんになるサポートをすることに、面白さと使命感を抱くようになっていました。

そのために生徒をどう指導するか。

僕自身が戦略の作り手となっていく、本物のスタートを切ったのです。

「科学と情熱の融合」こそ成長の秘訣

『学年ビリのギャルが1年で偏差値を40上げて慶應大学に現役合格した話』の原型のような経験を、僕はキャリアの1年目にさせてもらったことになります。

ビリギャルの主人公・さやかちゃんも、Yくんも、周りが「とても無理だ」と口を揃えるような目標に挑み、それを達成しました。

できなかったことができるようになる「成長」を果たしたのです。

さて、この奇跡のような「成長」を実現するための秘訣は何だと思われますか？

今お話ししたエピソードに、その答えがあります。

一つは「戦略」。戦略とは、一つの科学です。

対象を分析し、関連するデータを集め、攻略法を想定する理論的プロセスです。

僕が当初に感じたストレスの原因は、その点が欠如していたことでした。経営者となった今も、ともに働く人たちには、科学的プロセスの重要性を徹底して説きます。

世の中にはときどき、「とにかく頑張れ！」とドラマの熱血教師のようにハッパをかけている先生がいますね。

ドラマはフィクションなので、そうした情熱的な先生に導かれた生徒たちはハッピーエンドを迎えます。しかし現実世界で同じことをすると、皆でアサッテの方向に走り出すことになるでしょう。

僕自身、『ビリギャル』の影響もあってか、熱血教師のイメージを持たれがちなのですが、実は徹底的にデータを追求します。何の理論的根拠もなく「やればできる！」と言って人を煽（あお）るのは、罪と言ってもいいかもしれません。

とはいえ、情熱が必要ないかというと、これまた断じてNO。

なぜなら**情熱は、自己成長に向けて動き出す際の、大きな原動力になるから**

です。

人は、理屈だけで動ける生物ではありません。その証拠に、「感動」という言葉はありますが、「理動」という言葉はないでしょう。

「学生の本分は勉強だから、勉強しなさい」

「この仕事にはこの知識が必要だから、勉強しなさい」

という言葉がどんなに正しくても、それだけで勉強する気にはなれません。

それは、感情を揺さぶられないからです。

塾の仕事を一度は辞めようと思っていた僕は、Yくんの一言で心を動かされ、向いていようがいまいがとにかくやってみよう、と思うことができました。Yくんが高い目標を達成できたのも、僕の指導を「面白い」と感じたことを発端に、できないことができるようになっていく成長を味わったからです。

理論だけではダメ、感情だけでもダメ。この両者を融合(ゆうごう)することが不可欠です。

この本が語る勉強法の根幹もそこにあります。

理論を語る勉強法は数多くありますが、「情熱」を喚起する勉強法は珍しいでしょう。実際、難しいのはこちらの「情熱」のほうです。なぜなら、多くの人がこれまでの人生で、情熱に冷水を浴びせられ続けてきたからです。勉強を、苦行だと思い込まされたこと。そして、画一的な教育により、「頭がいい・悪い」という魔のワードで劣等感を植え付けられたこと。

それがいかに残酷で、しかも間違ったものであるかを、次章でお話ししたいと思います。

奇跡のような「成長」を実現させるコツ

「頭がいい人」とは どんな人か？

——バカはごまかしてもバカのまま

「頭がいい」は生まれつきなのか?

「ジアタマ」なんて存在しない

「頭がいい」という言葉がありますね。

とりわけ最近よく聞くのは、「ジアタマ」というキーワードです。

頭が良ければ勉強がデキる、何らかの悪影響で後れをとっても「ジアタマ」が良ければすぐ追いつき追い越せる、と人は考えます。

このイメージはある意味、「ブドウ棚」のようなもの。知識や教養やら、その活用法やらといったブドウがたわわに実った高い棚があって、「良い頭」という竹馬を持っていれば簡単にブドウに手が届き、取り放題食べ放題、というわけです。

とても残酷な考え方ですね。生まれつき神様に竹馬を支給された人とされなかった人がいて、支給されなかった人は「はい、残念でした」……では、あまりに救いがありません。

ところが、世の中のほぼ全員が、この考えを持っています。

しかも困ったことに、その多くは「竹馬を持たざる者」の屈折（くっせつ）を抱えています。

この人たちは皆ブドウに手が届かなくて「あのブドウはどうせ酸（す）っぱいよ」と負け惜しみを言った、イソップ童話の狐と同じ気持ちになっています。

最初に語った、「勉強嫌い」の状態です。

しかしこの「竹馬説」、はたして根拠があるのでしょうか。

頭がいい、とはそもそもどういうことでしょう。本当に、生まれる前に支給される便利グッズなのでしょうか？

その考えは、スッパリ捨てるべきです。

第1章を読んだ方なら、もう薄々お気づきでしょう。

竹馬は、自分で作るものです。素材を選び、加工し、より機能的かつ丈夫になるよう工夫を重ねていくものです。

たしかに世の中を見渡せば、そこには頭の良い人もいれば悪い人もいます。

皆さんも、日々の生活の中で「あ、この人賢い」「こいつバカだなあ」と感じることがあるでしょう。

しかし、バカは永遠にバカかというと、それも間違い。

仮に現時点でバカなのであれば、それはその人が竹馬を作っていないから。「頭が良くなるプロセス」を踏んでいないからなのです。

なぜ踏まなかったのか。そこには、前述の「稲を植えられたけれど、実らなくてダメ認定された」類の過去があったはずです。

こうした周囲の認定が、バカをますますバカにするのです。

日本人のほとんどは「コンプレクス持ち」

　この認定、誰が下すかと言うと、主には大人たちです。

　学校の先生は、日本の教育システムの支配下にあるわけですから、その基準に合わない子どもを「ダメ」と判断するのはある意味当然の流れです。

　残念ながら、深く子どもたちを傷つけてしまっているのは、親御さんであるケースが多々あります。

　どんな親御さんも、子どもが生まれる前は「健康ならそれでいい」と思うもの。誕生の瞬間は「生まれてきてくれてありがとう」と、その存在自体に感謝し、いとおしむでしょう。

　ところが、１年も経たないうちに様子が変わってきます。

　生まれた子どもが早々に言葉を発したり、瑞々（みずみず）しい感性を垣間（かいま）見せたりすると、「うちの子って天才⁉」などと言い出すのです。

子どもの能力を意識し始め、それに少々おめでたい評価を下します。

この段階は、いわば微笑(ほほえ)ましい「親バカ」と言えます。評価にかかるバイアスも上方向なので、子どももおおむね幸せです。

問題はその後です。学齢に入ると、親御さんは子どもをほかの子と比較し始めます。

自分の子どもよりデキる子がいると知ると、まず「ああ、私の子は大したことがなかった」と残念がり、そして「もっと勉強しなさい」と強要するようになります。これは子どもにとって非常に苦痛なことです。

勉強の目的は成長であり、それは他者との比較ではなく自分自身の改善である、ということはすでに述べた通り。しかし多くの親御さんはその発想を持ちません。

テストの成績はクラスで一番が理想。進学するなら偏差値が高いほどベター。競争原理でわが子を見るようになるのです。

そして、競争に勝てなければ露骨(ろこつ)に落胆(らくたん)します。

その結果、子どもは挫折感を植え付けられます。

例外は、学生時代を通して「いつでも一番」であった場合ですが、そんな人がどれだけいるでしょうか？　日本中見渡しても数％以下でしょう。それ以外の子どもは皆、「コンプレクス持ち」になります。

意外かもしれませんが、めっぽう高学歴な人でも、コンプレクスはあるものです。

偏差値の高い大学に入ったのに「東大に行けなかった」と思う人や、東大に入っても「法学部に入れなかった」と思う人はけっこういるもの。ほとんどの人が大小の差はあれ、挫折感を抱えているのです。

そして親たちがそうしたように、本人もまた、自身の成長ではなく、他者との比較の中で自分を「ダメ認定」していくのです。

罪深き人生の先輩たち――勉強嫌いは連鎖する！

このコンプレクスは、後々まで悪影響を及ぼします。

第一の、そして最大の悪影響は、チャレンジ精神の喪失です。

周囲の落胆を感じ取った子どもは、やがて自分の可能性を信じることができなくなります。

「自分は天才ではなく平凡な人間だから、高い目標なんて届くはずがない」と、そもそも高みを目指すことすら諦め、達成できそうな低い目標でお茶をにごすようになってしまうのです。

この考え方が習慣化し、社会に入った後も引きずるとなると、「成長」どころの話ではありません。

社会には学校時代のような定期試験はありませんが、それ以上に複雑な評価基準があります。実行力、統率力、問題解決力、発想力。しかもそうした目に見えない基準を「どういう行動によって」満たし、評価へ結びつけるかも自分で考えなくてはなりません。

しかしコンプレクス持ちの人々には、そうした能力は、特別な人だけが持つ天からのプレゼントのように思えてしまいます。「自分はこの程度」という意識が邪魔をして、それらを努力で手に入れようという気力が湧かないのです。「やらされ感」の中でなんとか仕事をこなし、この知識をつけろと言われてイヤイヤ教材を開く。しかし心に染みついたコンプレクスのせいで、中途半端に手を付けては投げ出す。その繰り返しに陥（おちい）ります。

そして「学生時代、もっと勉強しとけば良かったなあ」などとつぶやきます。

このとき本人は、これが「普通の大人たち」に傷つけられたせいであることに気づいていません。

結果、悲惨なことに、今度は自分の子どもに、自分の周囲の大人たちにされたようにコンプレクスを植え付けます。

しかも「よかれと思って」傷つけるのです。

自分は勉強を怠けていた、あるいは頑張ったけれど挫折した。だからお前はそうならないように、もっと頑張って勉強しなさい――というわけです。

これは「この本は面白くないし、俺は読まなかったけど、お前は読め」と言っているようなもの。

そうして子どもは、親がその親から受けたのと同じ被害をこうむることになります。

まさに負のスパイラルです。

この「勉強嫌いの連鎖」、何としても阻止したほうが世の中がイキイキすると思いませんか。

「自分はデキる」と思うとやる気がなくなる⁉

この手の親御さんが、大好きなフレーズがあります。

「この子は、やればできる子なんです！」という、あのセリフです。

三者面談で、親が先生にこのセリフを放っているのを、横で聞いた経験はありませんか？

横で聞きつつ、「うん、やればできるのかもね」と思ったことはありませんか？

実はこのセリフ、やる気を喪失させる魔のワードなのです。

心理学の世界では、やる気がなくなる二大原因は、

「自分には能力がある、と思うこと」

「自分が中心でありたい、と思うこと」

だと言われています。

この二つ、むしろ「やる気の源泉」のようなイメージがありませんか？

にわかには信じがたい話ですが、認知心理学者の佐伯胖（さえきゆたか）東京大学名誉教授によると次のようなことが言えるそうです。

一つ目の、「能力があると思うこと」から説明しましょう。

自分には能力があると思っていると、「テストの成績が悪い」など、相反（あいはん）す

る現実に対して、過剰な不快感や恐怖感を覚えます。

そこでどうするかというと、別のことに走るのです。授業をさぼってふらついたり、ナンパをして遊びほうけたり。

そうすれば、「あれじゃ、デキなくてもしょうがないよね」と周りに思ってもらえるし、自分もそう思えます。

現実へのチャレンジを先送りしながら、「本当は、やればできるんだけどね」と言っていられるのです。

では、もう一つの「自分が中心でありたい」はどうでしょうか。

授業がわからない状態とは、言わば「仲間はずれ」のようなもの。

授業の主役は、「先生&デキる子」になるからです。先生が「前に出て問題を解きなさい」と指名するのはデキる子ばかり。半分は時間短縮、半分はデキない子に屈辱（くつじょく）を味わわせまいとする思いやりなのですが、いずれにせよデキない子は主役になれません。

そこでどう出るかというと、授業を妨害するのです。

大声で茶々を入れたり、窓の外へと首を突き出して校庭にいるワルい仲間と会話したり。周りをかき回して、かりそめの主役の座を手に入れようとするのです。

叫んだり暴れたり、夜の校舎のガラスを壊して回ったり、なかなかエネルギッシュに見える生徒も、実はやる気を喪失してチャレンジの先送りをしているだけ。

そうすることで、実際には「バカをごまかし続ける」状態になってしまっているのです。

やる気がなくなる二大要因

①自分には能力があると思うこと

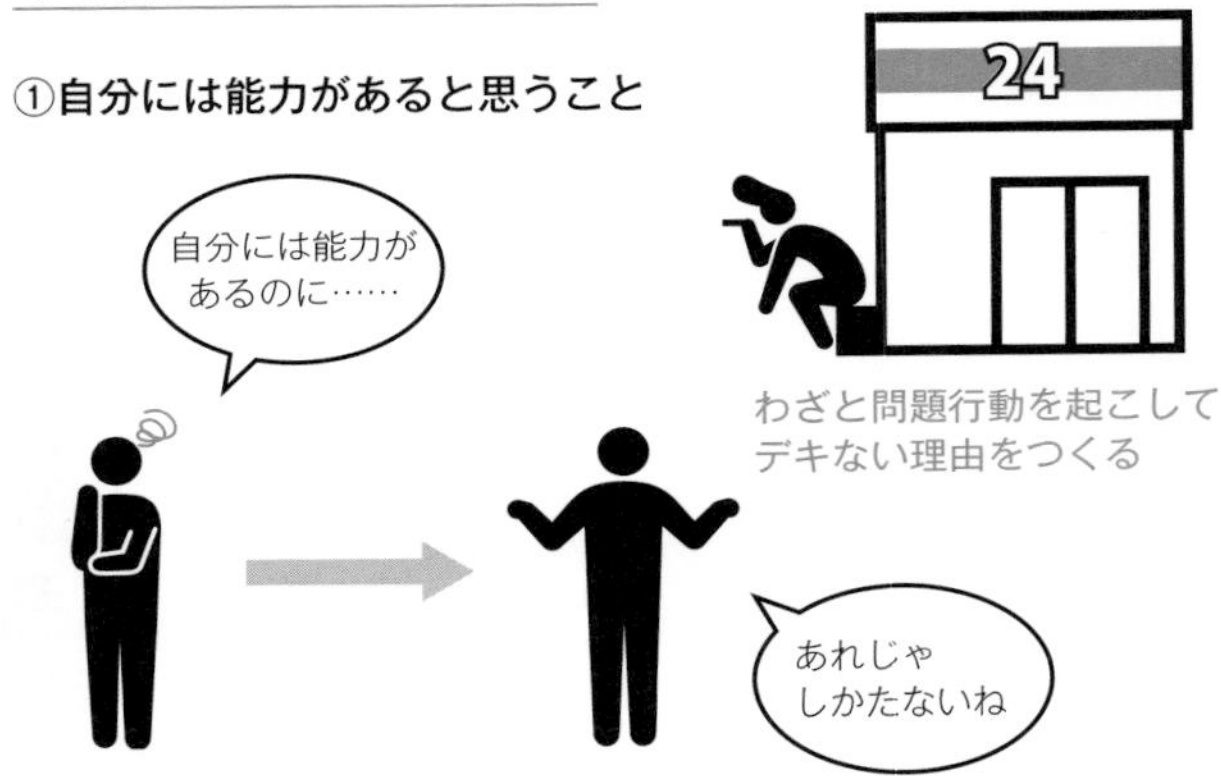

②自分が中心でありたいと思うこと

誰でも必ず頭は良くなる！

「バカをごまかす技」を磨くだけでいいのか

「バカをごまかす」とは、なんたるヒドイ言いよう！

……と思った方々、またしても「頭の良さは生まれつき」という思い込みにとらわれていませんか？

バカと呼ばれている人たちは、なぜこれほど涙ぐましい「ごまかし」に走るのか。それはとりもなおさず、「頭がいい人と悪い人」の間に、絶対的な相違があると思い込んでいるからです。

適切なプロセスを踏みさえすれば、誰でも頭が良くなることを知らないから、または信じていないから、その場しのぎの方法でごまかそうとするのです。

これは何も、遊びほうけたり不良と呼ばれるようになったりしている生徒だけの話ではありません。

悪い成績を「勉強」によって改善しようとする生徒たちの中にも、「ごまかしたい欲」はあります。

それは一言で言うと、**「即効性への強いニーズ」**。つまり、「とりあえず、今すぐに良い結果がほしい」という欲求です。

こうした子との出会いは、僕の場合、次のような感じでスタートします。

「中間テストの成績がひどかったんです。次の期末テストまでになんとかして！」

と、親御さんが塾に駆け込んでくる。

ところが本人の学力をチェックすると、これが思った以上にできていない。高校生なのに、知識は小学生レベルということもしばしば。

「おバカをごまかす」とは？

現在までに積み上げられた「いい加減な知識」の穴を埋めず、
目先の結果のために表面を取り繕うこと

となれば、まずは「現在理解できている段階」まで学習のレベルを下げ、その上に積まれたいい加減な知識を、確かな理解へと変えていく必要があります。

過去10年以上の学習の中の穴を一つひとつ埋める作業ですから、当然時間がかかります。

期末テストまでの飛躍的な学力向上など、「時間的に」とても無理です。ところが、期末テストで成果が出ないと親御さんは怒り出します。「この塾ダメだわ！」などと言って、辞めてしまうこともあります。まったく、理不尽なニーズとしか言いようがありません。

一方、こうしたニーズに応える方法もあることはあります。

たとえばその学校の定期試験の過去問を取り寄せて解かせれば、すぐに「それこそいい成績」が取れます。出題者が同じ先生なら出題傾向も同じ。ほぼ同一の問題が出ることもありますから、過去問を丸覚えすれば成績アップにつながります。

でも、それは「理解できた」ことにはなりません。そう、まさにバカをごまかしただけです。

さらに言えば、成績のいい子の中にも「隠れおバカさん」はいます。

真面目に授業を受け、定期試験の成績も上々。でも実力テストや入試の模擬試験になるとイマイチ……という、これまたよくあるタイプです。

なぜこうなるのかは、もうおわかりでしょう。定期試験のたびに試験範囲を丸覚えするだけで、学習内容を総合的に理解できていないからです。当座の好成績を収める技を持つことで「デキる子」の面目を保っているのです。

このように、**おバカをごまかす人たちにも様々なタイプがありますが、ごまかし続けてもあなたが望む頭の良さは決して手に入りません。**もちろん、成長にもつながりません。

短期的な利益を求めて、本質的かつ長期的な大切なものを見失っている状態は、そろそろやめてみませんか？

おバカ脱却への扉を、開くべきときが来ています。

バカ界からは、必ず脱出できる

『ビリギャル』が世間の話題となった頃、こういう反論をする人がいました。

「主人公のさやかちゃんは、結局ジアタマが良かっただけでしょ？」

「誰もがそんな大変身を遂げられるなんて、ありえない」

早い話が、「もともとのデキが違う」と言っているわけです。

何度も言いますが、頭のいい人の世界とおバカの世界は、明確に分かれているわけではありません。

もともと頭がいい人と悪い人がいる、というこの考え方を心理学の世界では「固定的知能観」と言います。

その反対が、「増大的知能観」。人の能力は、最初は低くとも、いくらでも高めていくことができる、という考え方です。僕の考えは、こちら。

今、世間からバカと言われている人、または自分で自分をバカだと思っている人でも、必ず頭のいい人の世界へと移住することができます。

そう、誰もが可能です。

僕はさやかちゃんや、第1章で話したYくん、そのほか数えきれないほどの生徒をサポートしてきた中で、それを実現させてきました。その上で、断言します。

頭の良し悪しは、才能ではなくて「積み重ねをしたか否か」です。

何度も繰り返す、それも「イヤイヤ」ではなく自分の意志で繰り返すことで、知識も技術も習得できます。

僕らは今、日本語を当たり前のように話せていますね。でも、生まれたときは話せませんでした。今、話せているのは無数に繰り返した結果です。

トイレトレーニングもそうです。生まれた頃は皆おむつをつけていたし、おむつが取れてからも10歳くらいになるまで、もしくはその後も、うっかり漏らしたことが何百回もあるはず。そうした無数の失敗を経て、「どの程度まで我慢できるか」を体得し、粗相（そそう）をしない技術を手に入れたのです。

アインシュタインもエジソンもマーク・ザッカーバーグも、スタートは僕たちと何一つ変わりません。この道のりをたどった末に「天才」と呼ばれるようになったのです。彼らだって、絶対に赤ちゃんの頃は漏らしていたはずです。

言語にせよ計算にせよ身体技能にせよ、人は「繰り返し」によって要領を習得し、「積み重ね」によって優れた能力を備えるようになります。

その繰り返しを早くから行っていた人は、いわゆる「頭のいい子」になります。学齢に入る前からたくさん反復をしたことで、早々と能力をつけられたのです。

現時点でおバカ界に住んでいても、それと同じ方法で脱出すればいいだけです。

人は皆おバカであり、おバカの範囲が違う

それにはまず、「今の自分はおバカである」と認めてしまいましょう。

抵抗がありますか？　では、「無知」ならどうでしょう（もちろん、知識がある＝賢いというわけではありませんが）。

まだ知らないことがある。これなら受け容れられるのではないでしょうか。

僕は、基本的に人間はみんな無知だと思っています。もちろん、僕自身も含めてです。ただ、無知の範囲が人によって違うだけなのです。それは「デキない範囲」とも言い換えられます。

学生の不得意科目はそれぞれ違います。国語のできない子もいれば、数学のできない子もいます。

社会人も同じで、営業マンはたいてい、経理業務に疎(うと)いものです。

僕自身で言うと、教育に関してはプロですが、食べ物全般については極端に認識力が弱く、恥ずかしながらキャベツと白菜とレタスの区別がつきません。

自分にはできないことがあると認めてしまえば、あとはそれをできるようにしていけばいいだけ。そう、**おバカを認めることが成長への第一歩なのです。**

では、たくさんある「デキないこと」の中で、何をできるようにしていけばいいのか。学生ならば苦手教科など明確な対象がありますが、社会人はそもそも何を勉強すればいいのでしょうか。

さて、ここでようやく、「社会人は何を学ぶべきか」をお話しするときがやってきました。それは端的に言うと、**自分の属する社会に足りない部分は何かを考えること。**

そして、それを補う知識や技能を身につけること。

これが、「頭のいい人」になるための道なのです。

「夢がない人」ほど成功する！

「やりたいこと」より「求められていること」

学校の勉強と、社会人の勉強の違いは何でしょうか。

前者には学科試験があり、後者にはありません。

学科試験には、必ず正解が用意されています。

社会に出ると、今度は「答えのない世界」が待っています。

社会のニーズは、学科試験ほどシンプルではありません。周囲の人々の能力や人となりから、属する会社の方針、消費者がどんな商品を好むかといった市場ニーズに至るまで、様々な要素が絡み合っています。

その中で、自分なりの正答を「作り出す」ことが求められるのです。

冒頭でも少し触れた通り、僕の考える頭のいい人には、このように**「日々の生活の中で、何が課題であるか、どうすればより良くなるのかを自分の頭で考えて、試行錯誤し、課題を正しく解決することができる力」**が備わっています。

一般的に「勉強ができること」と「頭が良いこと」はまったく別ものだと考えられています。勉強ができても、社会に出るとどうもパッとしないという人もいるでしょう。

それはそうなのですが、僕は「勉強を通じて頭が良くなる」ことはできると思っています。

試験では、出題者の意図を捉え、求められている答えを導き出す力が試されます。

実はこれ、社会人としてもっとも必要な能力、「ニーズを読む力」とまったく同一の力です。

相手のニーズを読み、何が問題かを考え（自分で問題や課題を設定し）、自分でその解決策を見つけ出すことができる。成功している人たちは、みんなこの力を身につけています。

つまり、**正しい方法で勉強を進めていけば、学力が上がるだけではなく、社会を生き抜くために必要な頭の良さも手に入る**ということです。

学生時代の試験は、この力を身につけるための予行演習。社会人として活躍していく準備期間だったのですね。

まだそれが身についていない人は、自分のしたいことだけをしようとします。

就職活動をする学生が、「僕は大学時代にコレコレをしました、コレが得意です、ぜひ御社の海外支部で働きたいです」などと言うのはその典型。会社が何を求めているか、を考える視点が抜け落ちています。

昔、「自分は英語が得意だから、外語大に行ってゆくゆくは外資系で働きたい」という生徒の相談を受けたことがあります。

僕はその子に「それより断然良い選択肢があるよ」と答え、**「たとえば、漁師になったら?」**と勧めました。

外国語大学で優秀な成績を収めた、などという経歴は、外資系企業では大して役には立ちません。周囲は英語のできる人ばかり、というよりネイティブばかりです。そんな人たちに囲まれて、あっという間に埋もれるのがオチです。

だから「漁師」を目指してみたらいいのでは、と勧めたのです。

もしも、漁港に流暢(りゅうちょう)に英語を話せる人が何人もいないならば、語学力は圧倒的な武器になります。海外との交易という新たな事業方針でも打ち立てようものなら、その漁港自体が大いに活性化、ヒーローになれること確実です。

これは決して極端な話ではなく、「自分の技能をニーズのあるところで生かす」という、頭のいい人の発想の基本です。

「何がやりたいかわからない、僕には夢や目標がない」と困っている人にも、この考え方が有効です。

夢がない人は、むしろ成功しやすいと僕は思います。

したいことがないぶん、「人が求めていること」に注意を向けられるからです。

このアプローチは、中途半端な夢より大きな可能性を持ちます。

他者のニーズこそ、すなわちビジネスチャンス。会社に勤めながら「自分は何がしたいんだろう」とため息をついている人は、ぜひ周囲の不満や不便を掘り起こしてみましょう。

たとえば、情報管理の煩雑（はんざつ）さに皆が悩んでいるなら、プログラミングを学ぶという手があります。どんな分野も、１年もかけて学べば一定のレベルに達するもの。そうなれば、周囲にとって貴重な人材になれます。

このように、人のニーズを読むことが、「頭の良さ」の基本と心得ましょう。

「空気読め」の文化は正しいか？

こういうことを言うと、「空気を読む」という言葉を連想する人が必ず出てきます。「忖度（そんたく）」も、「空気を読む」の一類型です。

しかし僕が言う「ニーズを読む」は、これらとは違います。空気を読むとは、想像と推察だけでニーズを測ることです。ニーズを読むことは、そんな回りくどい行為ではありません。**「どんなことで困ってますか？」とさっさと聞いて、対応することです。**

日本人はどうも、これが苦手なようです。

恋愛でも、意中の人に「告白したら気まずくなるかも」などと思ってグズグズしているうちに別の人にとられてしまった、などということがよくあります。ちなみに、僕が学生時代を過ごしたアメリカでは、この事態はほとんど起こり得ません。皆、すぐに相手に好きだと伝えます。好きだと言われるのは相手も嬉しいはずなのに、なぜそれがいけないのかという考え方。たしかに、告白される側もさほど困りませんし、断ったにせよ関係が気まずくなることはまずありません。

ところが日本人は、思ってもいない相手から告白されると戸惑います。「そういう感情を持たれるのは困る」と感じるのです。それは自分の望んでいた距離感ではない、察してくれてもいいのに――と、これまた「空気読め」と考えがちです。

でも、それは相手の自由ではないでしょうか。相手の感情をこちらが勝手に変えることはできないし、相手がそれをこちらに伝えるのも当然の権利です。

もちろん、こちらにも断る自由があります。「言わずとも察してほしい」と考えるから、話がややこしくなるのです。

さて、恋愛の話をしたのは、決して脱線ではありません。

今、企業にとっての大きなテーマである「ダイバーシティ」にもつながる話です。

ダイバーシティとは、「多様性」のこと。

性別や国籍などにとらわれず様々な人材を受け容れ、多様な価値観を接触させることで、組織に新たな発展性がもたらされる、という考え方です。

様々な価値観を受け容れる以上、価値観同士が対立することも当然増えます。

そこで日本人流の忖度などをしていたら、コミュニケーションの取りようがありません。

日本人が議論や批判に弱いのも、一種のダイバーシティアレルギーです。自分と違う意見を言われると自分自身を否定されたかのようにおびえたり、ムッとしたりする人がいますが、「僕の意見は君とは違うよ」と伝えるのは相手の自由。こちらから「いや、僕はこう思うよ」と答えるのも自由です。

このように、言葉で伝えずに察し合うことを求める文化は非効率で、多様性に逆行するもの。グローバル社会では、確実に弱点となります。

空気の読める人＝「言わなくても察する人」は頭がいい、と考えるのもナンセンス。

きちんと言葉に出してニーズを探索する。これが正しい頭の使い方です。

自分の成長レベルの測り方

おバカがおバカでなくなる「９段階」

「ニーズのあるところに自分の技能を当てはめることが、社会人の学びの目的である」

という基本がわかったところで、自分が今、社会人としてどのレベルにいるかをチェックしましょう。

あなたは現在、課せられた仕事にどう対応しているでしょうか。**その行動には「下の下」から「上の上」まで、９つのレベルがあります。**

その行動とは、以下の通りです。

・レベル1　下の下

指示された仕事を、指示通りにできない＝「やり方がわからない」と言って投げ出す最低レベル。

・レベル2　下の中

投げ出しはしないものの、事あるごとに「これはどうやるんですか〜」と聞いて上司や先輩の時間を奪う。自分で答えを探す意志がない。

・レベル3　下の上

自分で不明点を調べて、指示通りの成果を出せる。新人や若手が「合格ライン」に達するレベル。

・レベル4　中の下

９つの成長段階

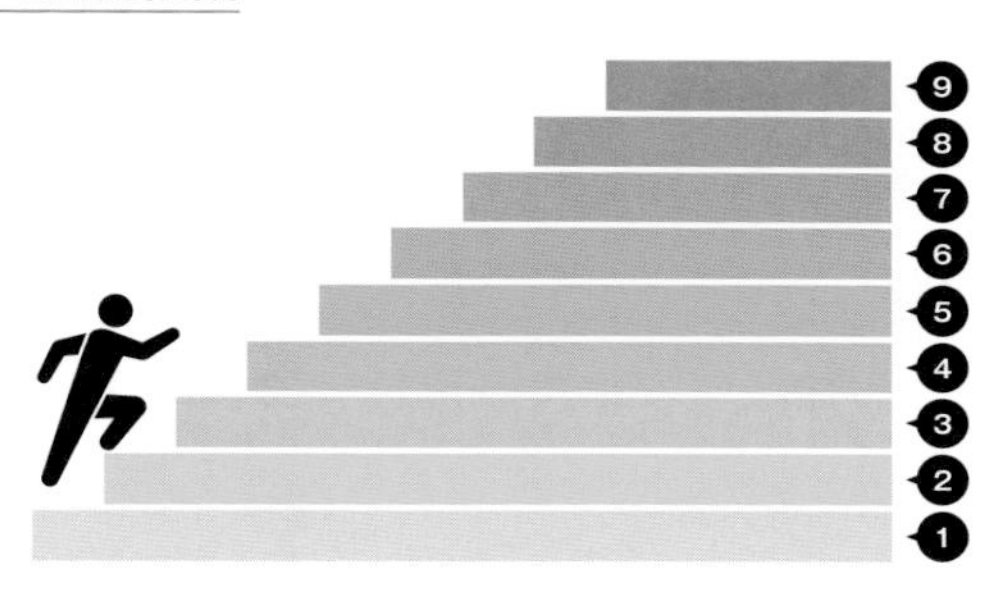

指示内容に自分なりの工夫を上乗せする発想が生まれる。しかし考えつくだけで、実行に移さない。

・レベル５　中の中

周囲に相談せずに、工夫やアイデアを勝手に実行する。コンセンサスが得られていないので周囲が混乱する。

・レベル６　中の上

周囲にアイデアを伝えて確認・賛同を得た上で実行する。担当業務のクオリティが上がり、チームに好影響を与え、「有能な人」認定される。

ここまで一気に説明しましたが、「中の上」でもう上出来、という印象を受けたのではないでしょうか。

しかし、本番はここから。この上にはさらにエキサイティングな世界があります。それは、**「成功体験の汎用化」**です。

・レベル7　上の下

自分の担当範囲で成功事例が出ると、それをほかのチームと共有してシステム化し、部署全体をレベルアップさせる。

・レベル8　上の中

視野をさらに広くとり、その成功事例を商品化できないか、と考える。たとえば自分たちの業務に使うシステムの改良に成功したら、そのノウハウもしくはシステム自体を商品にして売るアイデアに結びつける。

・レベル９　上の上

一連の成功を体系化し、別ジャンルにも当てはめる。「人材育成システム」を「企画開発」にも生かすという風に、成功の本質を新たな分野に応用する。「創業者」となれる可能性も出てくる最高レベル。

いかがだったでしょうか（ちなみに「だいたいレベル7だけど先日レベル１のことがあったな」と1回でもそのレベルのことがあればレベル１です）。このように、人は成長するにつれて、小さな種から大きな成果を引き出せるようになります。その成長の過程では当然様々なスキルが求められますが、これも一番下からスタートして、一つひとつ積み重ねていく中で、誰もが獲得できるものです。

相手を理解するレッスン① 20答法

「本当に、そんな成長を遂げられるのだろうか？」と、まだ不安を消せない方々へ。

まずは、自分がどう成長していけばいいのか、その方向性を決めるための「ニーズ読み」の技を磨くレッスンを、一つ実践してみましょう。

「20答法」——これは心理学の授業などでもよく使われる自己分析の一種で、僕も講演で聞き手の方々に行ってもらっている方法です。このときは知り合い同士でペアを組んでもらいますが、読者の方は家族や親しい友人を誘って、2人でトライしてみてください。

①自分について書く（制限時間3分）

まず、「私は○○です」という、自分の身分や属性や特徴を、思いつくままに20個書きます。「私は男性である」「私はどこそこ在住である」「私はエンジニアである」「私は犬が好きである」「私はこれこれで悩んでいる」……など何でも構いません。

通常、最初の5項目くらいは表層的なことを書き、徐々に内面的なことを書くようになっていくのが、多くの方に共通して見られる傾向です。

②相手について書く（制限時間3分）

次に、相手に関しても同じように20個書きます。ここでのポイントは、「この人なら、こう書くだろうな」と思うことを書くこと。自分から見た相手像ではなく、相手の視点を想像しながら書きます。

③答え合わせをする

お互いに書いたものを見せ合い、相手について書いたことと、相手が自分について書いたことが、どれだけ一致しているかをチェックします。

「20答法」のやり方

①自分について書く
（制限時間3分）

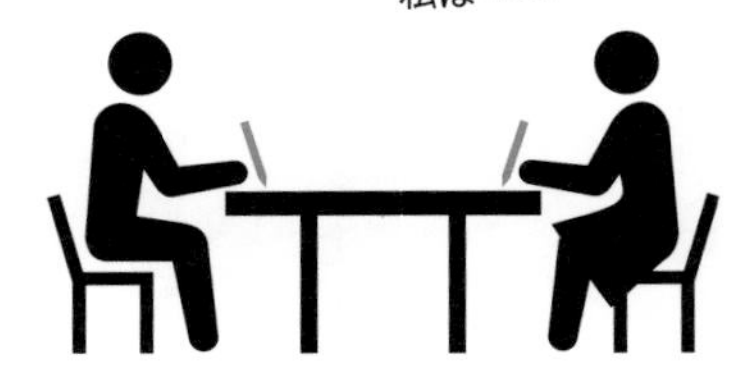

②相手について書く
（制限時間3分）

③答え合わせをする

相手への理解度

10%

20項目のうち、一致しているものが10あれば理解度は50％。２つだけなら10％です。

いかがでしたでしょうか。

親子や恋人同士などの近しい関係でも、意外に理解できていないところがある、ときっと気づくでしょう。まして「上司と部下」など、親しいとは限らない間柄となると、壊滅的な結果が出ることもあります。

何といっても難しいのは、「相手の視点で考える」ということです。どうしても「自分から見た相手像」に傾くのを、書きながら実感するはずです。

それを抑えて、相手の視点に立って考えることが、ニーズ読みのトレーニングになります。

ペアを組まずに、想像しながら同僚や上司や部下について書き、それとなくインタビューをしてこっそり答え合わせをするのも、いい練習になるでしょう。

相手を理解するレッスン② 長所のレーダーチャート

もう一つ、「人を見る目を養うレッスン」も紹介しましょう。

僕は、初対面の方の「レーダーチャート」をつくる習慣があります。

6本の軸を放射状に書いて、それぞれの軸の点数をつける六角形のチャートです。

身近な人を思い浮かべながら、書いてみてください。

「長所のレーダーチャート」

明るさ
気遣い
頭の回転の速さ
発想のユニークさ
話の面白さ
品の良さ

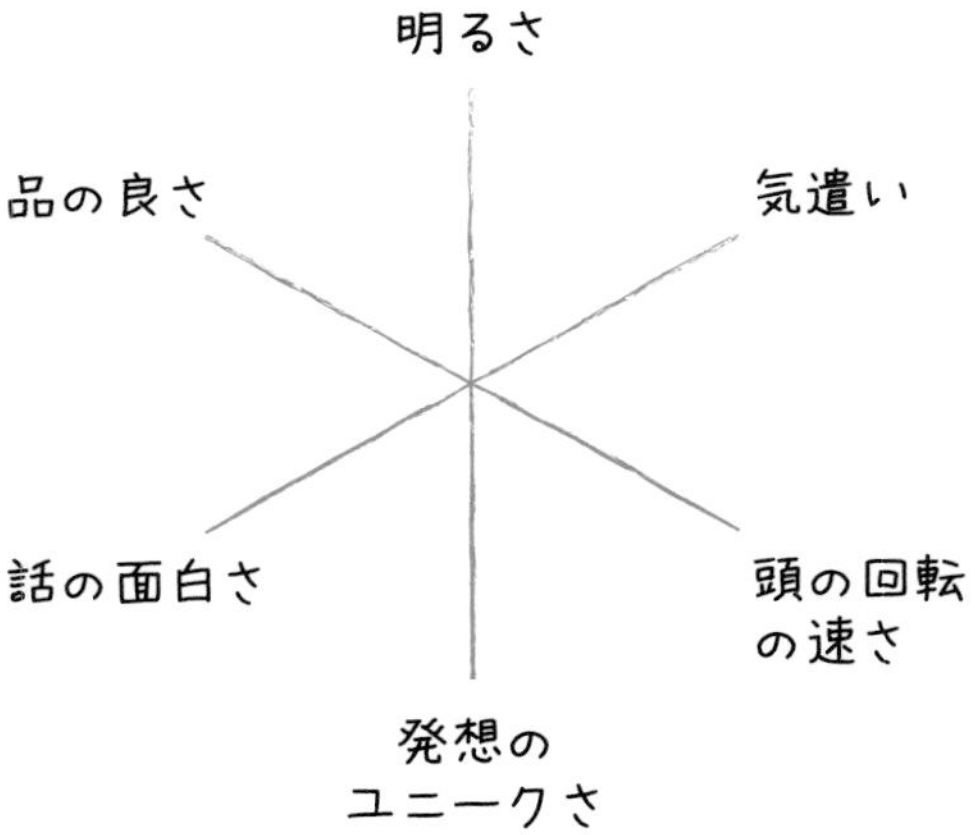

①六角形の軸を書く

その人を思い浮かべて、「良いところ」「好印象な点」を6つ挙げる。明るさ、気遣い、頭の回転の速さ、発想のユニークさ、話の面白さ、品の良さなど、内容は何でもＯＫ。それらを6本の放射状の線にする。

※短所は書かない。短所は目につきやすく、そこに注意が向くと相手の良さを見落としやすくなるため。

※「20答法」と違い、あくまで自分の視点からの印象で考える。

②点数をつける

それぞれの長所が、5点満点のうち何点かを判定。

これまで出会った「明るい人」「気配りの人」の印象を参考にしつつ、その人の明るさはどれくらいか、と点数を決める。

③ときどき見直して書き直す

その後も折に触れてチャートを見直す。そのとき、かつての印象が変わっていれば新しく書き直す。新たな長所や、長所だと思っていたところがそれほどでもなかった、という発見があれば、項目の内容も変更する。

以上が、レーダーチャートの書き方です。

「なんだか、評価を下しているみたいで抵抗があるなあ」

と感じた方がいるかもしれませんね。

しかしこれは、評価ではなくて「分析」です。点数をつけることも、決して上から目線での作業ではなく、その人の良いところについて考えたい、見習うべき点は見習いたい、という、むしろ自分の成長のためのトレーニングです。

長いスパンで何度も見直すことも、大事なポイントです。

最初に書いたチャートから、印象がまったく変わらない、ということはまずありえません。「この人、意外とこんな面もあるのか」という発見が、接する中で必ず起こります。

それは、その人自身が変化したからでもあるでしょうし、こちらの価値観の変化が影響することもあるでしょう。

何人もの人に対して、何度もこれを繰り返すことで、「自分は人に何を求めるのか」「人間性を見る上で自分が重きを置いているのは何か」を発見できるのも、このトレーニングの良いところです。

６つの長所に何を挙げるかを決めるとき、その内容が毎回似通ってくることに気づくでしょう。「優しさ」が頻繁に出てくるなら優しさを、ユニークさが出てくるならユニークさを、人の長所として重要視する価値観を自分が持っている、ということが、ここからわかります。

レーダーチャートは、人を見る目を磨くレッスンであると同時に、自分を知るレッスンでもあるのです。

一番テンションの上がる目標を定める

——誰かが決めた「枠」を外す方法

僕たちは枠にとらわれすぎている

「できること」と「できないこと」の境界線

勉強の目的は成長であること、社会人の勉強は「他者のニーズを満たす技能」を磨くことである、というお話をしてきました。

目的が明確になったなら、次はあなた自身の「目標」を設定しましょう。

この目標設定には、少々「コツ」がいります。

それをリアルに感じていただくために、一つ、簡単なワークをしましょう。

まずは10秒間、1から6までの数字を思い浮かべてください。

……1、2、3、4、5、6。

思い浮かべましたか？　では次に行きましょう。

今度は10秒間で、好きな数字を一つ、思い浮かべてください。

ワークは以上です。

それでは、お聞きします。

あなたは、どんな数字を思い浮かべましたか？

もし、1から6までのどれかを思い浮かべたとしたら……、**それはあなたが無意識に「枠」にとらわれている証拠です。**

僕は今、「1から6までの中で好きな数字を選んでください」とは言いませんでした。あなたの好きな数字が7だとしたら、なぜ7と言わなかったのでしょう？

1026と言っても良かったし、0・34と言っても良かったはずです。

人間には総じてこうした傾向があるのですが、第2章で述べた「学校教育を受けている間にコンプレクス持ちになった人々」は、とりわけそれが顕著です。

コンプレクス持ちは、何をするにもすぐに自分を枠にはめます。

先程お話ししたように、「私はこの程度」と自分で自分を見限り、はなから高い目標を立てることはしません。

また、自分の能力を低く見積もるだけではなく、世の中でできること・していいことの範囲も狭く捉えます。

身近なところで言うと、「現役合格へのこだわり」などは好例でしょう。

多くの親御さんと、その気持ちを忖度した子どもたちが、「現役合格」に固執する風潮を、僕はバカげていると思います。

本当に行きたい大学・学びたい学部には落ちてしまった。受かった大学には興味のある学科がないが、浪人したくないから行く――これでは、勉強の「目的」が変わってしまっています。同年代の仲間の「進度」に後れないようにするために進学するなんて意味不明です。

「でも、浪人できるだけのお金がないから、しょうがないじゃないですか」

という反論は一見親思いのようですね。しかし、もし「お金」がネックなら、行きたい大学でしたい勉強をして、望む職業に就いてガンガン稼ぐほうが、結果的に親孝行になると僕は思いますが、いかがでしょうか？

つまりは、先行投資です。

「浪人」などという情けない名称でこの時期を呼ぶのは、「現役合格でないとダメ」という枠にはめられている証拠です。

枠を外して、長いスパンと大きな視野でものを見ること。

それを、この章を通して体得しましょう。

レストランでの成功者の意外な共通点

執筆業に携わるようになってから、僕の交友関係は大きく広がりました。

名経営者と言われる方々と交流し、食事をともにする機会も増えました。

すると、そうした方々に意外な共通点があることに気づかされます。

レストランへ行くと、まずメニューが出てきます。

イカスミのパスタが美味しそうだ、と思えばそれをオーダーするでしょう。

そして普通は、それをそのまま食べますよね。

しかし、名経営者の人々は違います。**なんとそこにもう2、3の要望をつけ加えることが多いのです。**

「具材のイカを、タコに替えていただけますか？」

「今、ロブスターが食べたい気分なんですが、入れていただけますか？」

などなど。

もちろんそんなメニューは、その店にはありません。店側は、「少々お待ちください」と言って厨房と相談し、「申し訳ございません、ロブスターは現在入っておりません」「タコはございますので、ご用意できます」などの回答をし、「じゃ、タコでお願いします、ありがとう」ということで話がまとまります。

さて、あなたはこれをどう思いますか？　「エライ人のワガママ」だと思うでしょうか。

実はこれも、「メニューに記載されたものの中から選ばないといけない」という枠にとらわれた発想と言えるのです。

本来、料理人に食べたいものをオーダーするのは個人の自由のはずです。世の中の第一線でリーダーシップを取っている人たちは、そうした枠を「変えられる・広げられる・超えられるもの」と考えているから、こうした要望を出せるのです。

もちろん店側にも、対応できなければ断る自由があります。

第2章で、好きでもない人に告白されたらどう思う？　という話をしましたね。

あの例と同じように、店は「できることはできる」「できないことはできない」と答えればいいのです。

「でも、私がお店のスタッフなら、迷惑だと思ってしまうなあ」

「厨房と相談しないといけないし、価格も考え直さないといけないし、手間がかかって面倒くさいなあ」

と思いましたか？　では考えてみてください。

今、あなたが想像した「お店のスタッフになっている自分」はその店で、どんな立場・意識で働いていましたか。

マニュアル通りに働けばそれでいい、と思っている若手社員？

それとも、アルバイト学生でしょうか？

さらにもう一歩、踏み込んで考えてみましょう。

もしあなたの職場で同じことが起きたなら、「ちょっと手間のかかる先方の要望」に対して、「迷惑」という感想を持ちますか？

営業、販売、企画、制作……どんな仕事に就いている人も、プロ意識が高ければ高いほど、「面倒くさい客だなあ」などとは思わないはずです。「できる限り対応しよう、ここが腕の見せ所！」と思うでしょう。

このように、「枠を外す」という概念は、相手の自由を認めることにも通じます。

そして、相手の自由を受け容れる器量は、自分の能力や、仕事に対する誇りにも比例するのです。

「根拠なき自信」は絶対に必要だ

以上のように考えると、**枠を外すとは、「〜できる」という考え方である**、と言えます。

客の立場なら、「自分は、メニュー外のオーダーもすることができる」。

店員の立場なら、「自分は、予想外のことにもフレキシブルに対応できる」。

この「私は〜できる」は、心理学用語で**「自己効力感（こうりょくかん）」**と呼ばれるものです。

「自己肯定感」という言葉は聞いたことがあるでしょう。自己効力感はこれと似て非なるものです。

自己肯定感とは、「どんな自分もまるごと受け容れる」姿勢のこと。これがあれば、少々の失敗や挫折があっても「自分は大丈夫」と思えます。

これに対して、自己効力感は「成功する自分」をいつもきちんとイメージできること。

どちらも大事な、生きるエネルギーの源です。

枠にはめ込んでいる人は、この双方の機能が落ちています。

枠にはめるのは、失敗するのが怖いから。つまり自己肯定感が低く、少しの失敗に脅かされてしまうことが大前提となっているのです。

自己効力感も低いため、「～できるはずがない」と決め込んでますます枠を縮めます。

一方、枠を外して何かにチャレンジできる人は、自己効力感が高いと言えます。

そこで大いに参考になるのが、「根拠のない自信」を持っている人。

やたら自信満々で、俺はデカイことを成し遂げるんだ、俺ならそれができるんだ、と豪語（ごうご）する人がいますね。

このタイプの人は、ともすれば揶揄（やゆ）の対象になります。

「まだ何も成し遂げてないくせに」と、あきれた目で見られがちです。

「枠を外す」基本的な考え方

枠を外すとは「自分は〜できる」と思うこと

〈食べたいものがメニューの中にない場合〉

自己効力感を高めれば
枠にとらわれない発想ができるようになる！

しかし、この「根拠のなさ」こそが重要です。

そもそも自信には、根拠など必要ありません。

すべてのことは、やってみない限り、どんな結果が出るかわからないものです。

これまで多くの成功実績を積んだ人でさえ、次の仕事がうまくいく保証はありません。

もっと身近な例で言うならば、前の彼女とうまくいっていたとしても、次の彼女とうまくいくかはわかりません。昨日までうまくいっていた人生でも、家から一歩外に出た瞬間に、隕石が落ちてくる可能性だってゼロではないのです。

このように、過去の成功体験は必ずしも未来にはつながりません。

そう考えれば、「根拠」などというものに意味などないとわかるでしょう。

あってもなくても同じこと。必要なのは自信だけです。

チャレンジする人・できる人は、毎回この前提に基づいて「空手形」を切っているようなものです。根拠のない自信を持ち、腹を決めて進んでこそ、実績が得られるのです。

自己効力感を高める「知識のドーナツ化現象」を狙え！

「それが持てないから、困ってるんじゃないか！」

という方々も心配無用。自己効力感は、少しの工夫で高めることができます。

それは、ある方法で「おバカをごまかす」ことです。

「これまでさんざん批判してきたのに、『バカをごまかせ』と言うのか⁉」

と困惑するのはまだ早い。

これからお話しするのは、**戦略的かつ意味のあるバカごまかし**です。

2000年に引退された関西お笑い界のカリスマ・上岡龍太郎さんが、笑福(しょうふく)

亭鶴瓶さんと出演していたテレビ番組で、知識をとうとう披露されたことがありました。

邪馬台国の卑弥呼には側近の某という人物がおり、実は国の実権を握っていたのはその人物である——細かいことは忘れましたが、非常にマニアックな情報でした。

鶴瓶さんが「あんた、ようそんなこと知ってまんな」と言ったところ、上岡さん答えていわく。

「ホンマはそこしか知らんねん。こう言うと『すごい』と思てもらえるやん」——歴史に造詣の深いことで有名な上岡さんですから、この答えをそのまま鵜呑みにはできません。しかし、言っていること自体には、非常に説得力があります。

あるジャンルに関して、誰も知らないような細かいことを2、3点披露すると、そのジャンル全体について大変な知識と教養を備えているかのような印象を与えられる。その実、中身は空洞であったとしても——。

上岡さんはこれを、**「知識のドーナツ化現象」**と名付けていたそうです。

そうした雑学や豆知識をいくつかネタとして持っておくと、「すごい人」認定されて、知性派として信頼されます。いわば、おバカごまかしの高等ワザです。

このワザを広く捉えると、東大生も同じことをしていると言えます。

東大合格に必要な知識は、人生に必要な知識のほんの一部、しかも日常生活にはさほど必要のないマニアック知識。そこに磨きをかけ、その「一芸」で東大に入り、知性派としての称号を得られるというわけです。

「でも、ごまかしはごまかしでしょ？　実力が伴わなきゃ意味ないんじゃないの？」

と思われるかもしれませんね。たしかにそうです。

しかし、**それによって人から認められる経験ができたら、自信をつけることができます。**すなわち、「自分は~できる」という自己効力感です。そこで得られた自己効力感は、たとえそれがかりそめのものであっても、チャレンジ精神の起爆剤としての機能は果たすでしょう。

ドーナツの空洞部分は、後で埋めていけばいい。戦略的に自己効力感をチャージして、とにかく最初の一歩を踏み出しましょう。

テンションの上がる目標の定め方

「神様のプラチナチケット」をもらったら……

自己効力感がある程度チャージできたところで、いよいよ目標設定です。

ここでもう一つ、枠を外すワザを紹介しましょう。

目標設定をするときのコツは、「自分が一番テンションの上がる内容」を最大限までイメージすることです。

第1章で、「情熱は、自己成長に向けて動き出す際の大きな原動力」というお話をしました。

情熱を喚起させるには、単に「高い目標」「大きい目標」を立てるだけではなく、**自分自身がワクワクするか、という視点が不可欠なのです。**

そこで、次の問いを自分に投げかけてみましょう。

「神様が目の前に現れて、プラチナチケットをくれたらどうする？」
「このチケットに書いた望みは何でも叶えてあげると言われたらどう書く？」

……十分にイメージを膨らませましょう。どんな望みが浮かんできましたか？

僕はこの問いかけを、塾の生徒をはじめ、若い人たちによく投げかけます。実に様々な答えが返ってきますが、そこにはいくつかの傾向があることに気づかされます。

男の子によく見られるのが**「競争型」**。

「世界征服」など、競争に打ち勝って一番になる、というシンプルな目標です。「社長になる」も組織内での一番を望むもの。非現実的なところでは「海賊王になる」という回答も、中学生あたりではときどき見られます。

はたまた**「ラクして安定型」**というタイプもあります。

玉の輿に乗る、アラブの大富豪と結婚するなど、高校生くらいの女の子に見られる回答です。ラクをして安定的な生活保障がほしい、という望みですね。

「ラクして安定&枠はめ」の複合型もあります。

就職活動中の学生さんはよく「十億ほしい」と言います。将来への不安が強まるなか、「働かずに一生そこそこの暮らしができる額」として十億を想定したのでしょう。枠の中で考えたことがうかがえる回答です。ここで「千億」や「一兆」と言える若者が増えれば、もっと日本は元気な国になれるのだろうに、と思わされます。

最後に**「利他型」**。

「両親のために大きな家を建てたい」など、人が喜ぶことをしたい気持ちが前面に出たものです。こうした身近な人への恩返し的な気持ちから、「社会貢献」のような大きなものまでさまざまな規模のものが見られます。

自分の価値観の方向性を知ろう

願いがなんでも叶うなら？

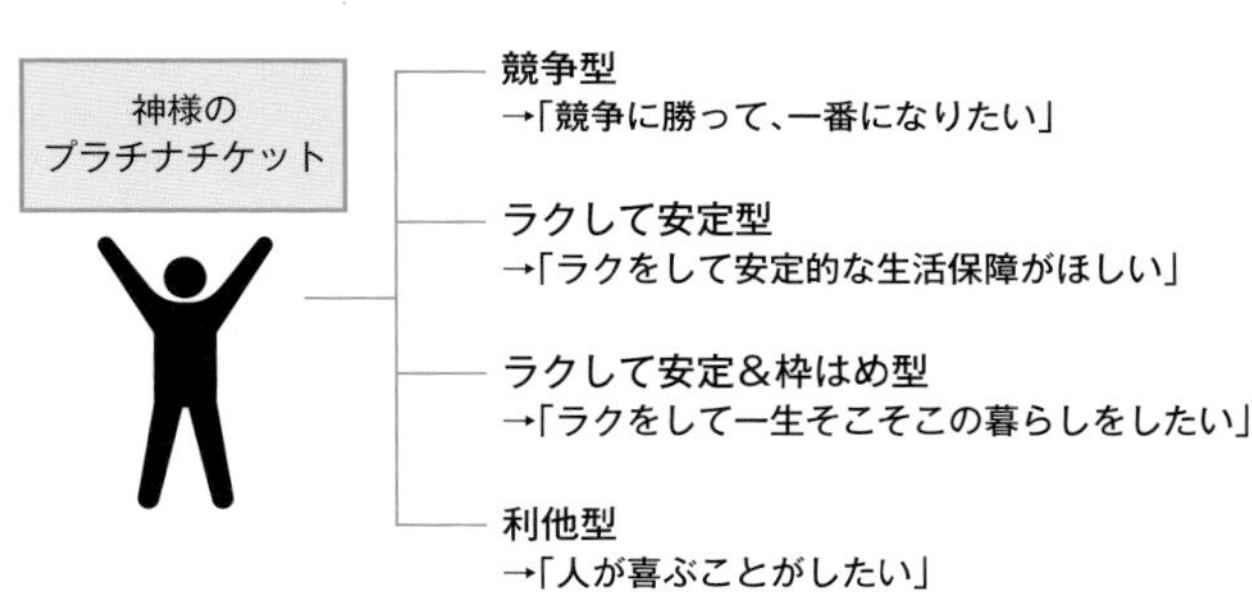

あなたは、どのタイプでしたか？

こうしてみると、プラチナチケットを仮定した問いかけには、二つのねらいがあることがわかるでしょう。

一つは言うまでもなく、枠を取り外して考えること。

もう一つは、**自分の価値観の方向性を知ること。**

自分は一番になりたいタイプなのか、人の喜ぶことがしたいタイプなのか、といったことがこれによってわかります。

それを知ることで、目標設定の方向性がつかめます。

遠い未来まで、視野を広げよう

自分は、どんなことで喜びを覚えるのか?

そんな自分の「テンションが上がる目標」＝高揚感が心に広がるような目標は何か?

考えながらも、「枠」が頭の端をチラチラすることもあるでしょう。

そこで、ご参考に――というより、単に言いたいので、僕の目標も披露しましょう。

それは「世界史の教科書に載ること」です。

なんとまあ壮大な、と思われるかもしれませんが、本気です。

小学校の高学年ぐらいから考えていたことなのですが、明確なきっかけは教え子のフェイスブックでした。

僕の教え子が和室に正座した自分の写真を載せていて、そこは坂本龍馬が宿泊した旅館の一室だという説明がついていました。

坂本龍馬の大ファンである彼女は、最後の一文をこんな風に締めくくっていました。

「すまし顔で写っているけど、実は心拍数がすごく上がってます」

これを読んで、坂本龍馬の偉大さに僕は震えました。彼の人生が、１５０年後の女子大生をドキドキさせているのですから。

僕もそうなりたい、と思いました。世界史の教科書に載って、１５０年後、２００年後にまで僕のファンがいるような人物になりたい。今住んでいる家に、２００年後に「坪田信貴住居跡」などと銘打たれた石碑が立って、未来の人がドキドキしながらそこで写真を撮るような存在になりたい。

考えただけで、僕のほうこそドキドキしてきます。

さて、お気づきでしょうか。僕の目標が、**「自分の生きている間」という時間の枠を超えたもの**であることに。

僕は、生きている間の達成を目指すような、数十年スパンの目標なんて小さいものだと思います。ぜひ長いスパンで考えて、次世代への影響まで意識してみてください。

自分が、どんな人物として記憶されるか。記憶だけでなく、どんな変化を未来の人々にもたらせるか……。

社会人としての成長は「ニーズを読む」力をつけて、自分の技能を当てはめ、他者のニーズを満たすことだと述べました。それは突き詰めると、「いかに社会に役立つ人間となるか」ということです。

その影響力の範囲は、同時代に及ぼす大きさだけでなく、時代を超えて及ぼす「長さ」をも意味します。

空間的にも時間的にも枠を取り払って、大きく長く、夢を膨らませてみてください。

勉強コンプレクスの乗り越え方

嫌な思い出は「上書き」してしまおう！

ここまでは主に、枠を取り外すのに役立つ「情熱」の膨らませ方を語りました。

次はもう一つの柱、「科学」的な視点からのアプローチについて考えてみましょう。

「コンプレクス持ち」に情熱を持てと言っても、なかなか難しいのが実情ですね。

コンプレクスを払拭（ふっしょく）するには、いったいどうすればいいのか。

その答えは簡単です。コンプレクスの原因になった挫折経験を、成功体験で上書きすればいいのです。

たとえば大学受験で挫折感を覚えていたなら、少しばかり努力を要する資格試験にチャレンジして、合格すればいい。

では、どんな資格試験を受ければいいかというと、最大のポイントは、**「自分が主観的に魅力的だと思えるもの」**にすること。

世間的な評価より、本人が「これなら」と思えるものであるかどうかが大事です。もちろん、「世間的評価をきわめて重視する人」ならば世間的評価の高い資格にチャレンジするのも正解。いずれにせよ、本人の主観がやる気を大きく左右します。

ここで参考にしていただきたいのは、心理学者のJ・W・アトキンソンが提唱した、次の数式です。

やる気の強さ＝①達成動機×②主観的成功確率×③目標の魅力

これは、「モチベーションのグランドセオリー」と言われるものです。

さらに詳しく、僕なりにアレンジしながら説明しましょう。

①達成動機

「成功させたい気持ち－失敗したら嫌だという気持ち」の引き算で数値を出します。

「成功させたい！」が100で、「怖いなあ」が70なら、ここの値は「30」。

心の中の自己効力感や自己肯定感によって大きく左右される部分です。

②主観的成功確率

感覚的に、「どれくらいの確率で達成できるかな」と思う数値のこと。

たとえば、偏差値30の学生が東大を目指すとして、「これは絶対ムリ」と思うなら、ここの数値は「0」となります。

③目標の魅力

ここには、その目標を達成することで、どれぐらい「誇り」に思えるかを0から100で数値化します。仮に、本人にとって東大合格が最高レベルの誇りとなるのであれば「100」です。

以上の3つを掛け合わせると、どうなりますか？

30×0×100＝？

そう、ゼロになりますね。

②の数値がゼロ＝「絶対ムリ」と思っていれば、やる気は出ません。

ここで重要なポイントは**「主観的」な成功確率である**ということです。

そもそも「客観的な成功確率」なんて出せるはずはありませんから、ほとんどすべてのことは「主観的」です。つまり、自己肯定感及び自己効力感が高い人はここの数値が高くなり、そうではない人は、ここの数値がとても低くなりがちですから、どれだけ素晴らしい目標であっても、それが誇りになるようなものであっても、結果的にはモチベーションが高まらないことになります。

なぜなら、この式は「かけ算」であるので、3つの数値のうち1つでも低いと、大きな数字にならないからです。

頭に浮かんだ「トライしてみたいこと」を、一つひとつこの数式に当てはめてみましょう。そして数値の高いものに片っ端から挑戦し、コンプレクス払拭を図るのがおすすめです。

夢中になって取り組める課題設定「6：4の法則」とは

心理学者・チクセントミハイは、何かに夢中で挑戦するモード＝「フロー状態」に入るための条件の一つに、**「行う事柄が、現段階の実力よりも『少し高め』のものであること」**を挙げています。

簡単すぎると退屈、難しすぎると不安。

「少し高め」がベストなのです。

となると、気になるのは「少し」の度合いですね。

生徒に課題をさせていてわかるのは、**「正答6割：誤答4割」のレベルが、もっともやる気を喚起する**ということです。

僕はいつも、基礎学力の低い生徒にはごく簡単なレベルまで戻って問題を解かせ、少しずつレベルを上げていく、という方法をとります。

相手が高校生で、「小4くらいまで戻る必要があるかな」と思えば、まず小4レベルの問題集をコピーして解かせます（※このとき、本人のプライドを傷つけないよう「小4」の文字は修正テープなどで隠します）。

このレベルなら、その生徒はアッサリとクリアできます。「5分でできたの？すごいな！」と言えば、本人の自己効力感はぐっとアップします。

とはいえ、それを繰り返すだけではすぐに退屈しますから、じりじりとレベルを上げます。

その中で理解できていない点が発見できれば、そこを一緒に学んでいく。そしてまたレベルを少し上げる。

そうしているうち、解答のスピードも点数も、少しずつ下がってきます。そして「正答6割：誤答4割」のところまで来たら、そこからが成長の始まり。60点を70、80点にするために、集中力をフルに発揮してその箇所を繰り返し学習し、問題を解くように促し、実力をアップさせていきます。

このように、自己効力感をチャージする助走をつけて、チャレンジ精神が一番高まったところで一気にダッシュするのがコツです。

自分で学ばなくてはならない社会人の方々も、まずは簡単な問題を解いてから「6：4」レベルの問題を解くことをおすすめします。気持ちに勢いがついて、6：4を7：3や8：2にする意欲が、俄然（がぜん）湧いてきます。

「好奇心不足」の特効薬とは

一方、「そもそも、何にも好奇心が持てないので目標設定ができない」という人もたまにいます。

コンプレクスが複雑かつ重症だと、こうなりがちです。挫折のモトもわからず、従って何で払拭していいのかもわからない、という状態です。

でも実は、好奇心や興味を喚起するのはとても簡単なことです。

アメリカの教育心理学者、ベンジャミン・ブルームは、1956年に「ブルーム・タキソノミー（分類学）」というものをつくり、思考力を6階層に分けました。

単なる丸暗記を理解へ、理解したことを別のことにも当てはめられる応用力へ、応用力を駆使して複数の概念の関係性を見極める分析力へ……と、思考レベルを高める指導法を定めています。

2001年には、ブルームの後継者たちが、その改訂版を開発しました。

「……前置きが長い！　それ、好奇心や興味と関係あるの？」

というせっかちさん、ここからが本番です。

ブルーム・タキソノミー

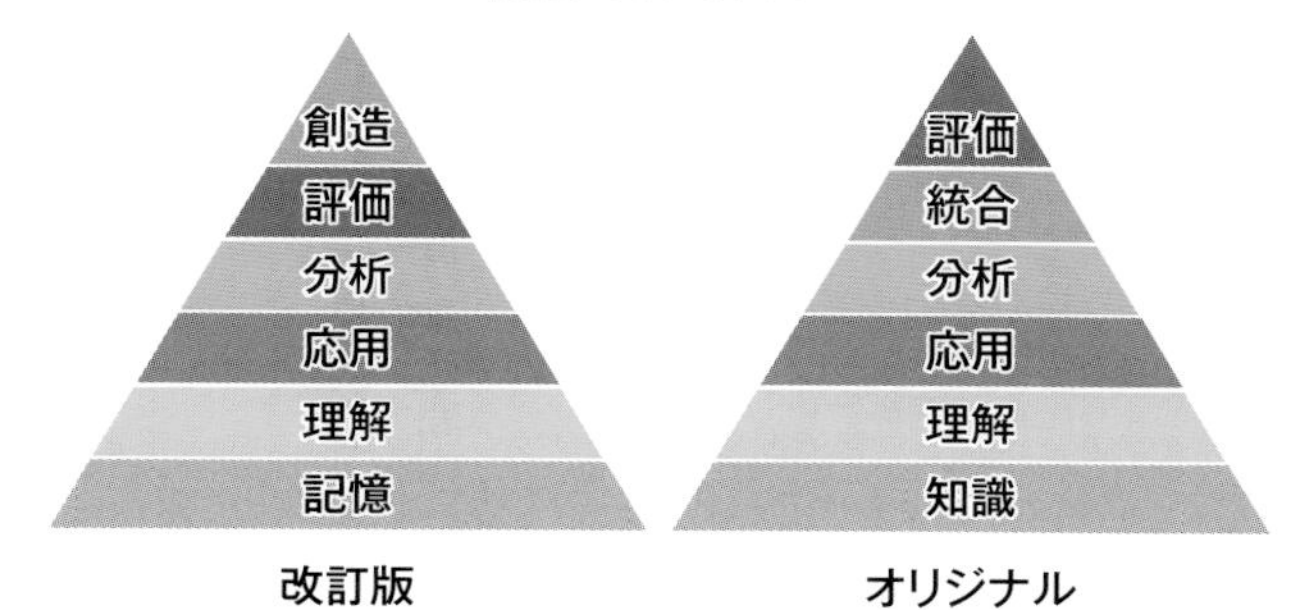

改訂版では、思考力の最高段階を「創造」に置いています。

世界各地の学校では、これを高めるための指導を行い、日本の（とくに難関校の）入試問題でも、この創造性を問う問題が必ず出題されます。

その出題の方向性が、「興味を喚起する方法」とまったくイコールなのです。

すなわち、「あなたならどうする」と問うのです（ちなみに、心理学の用語では、これを「迫真性」と言います）。

たとえば、「あなたが徳川家康なら、江戸幕府をどういう体制にしますか」

「あなたが徳川家光なら、どのようにしてキリスト教が入ってこないようにしますか」

など。

つまるところ、**「自分ならどうする」と考えるのが、興味のモト。**

とすると、ことは試験問題に限らないことがわかるでしょう。

「あなたがこのチームのリーダーなら、効率化を図るためにどうしますか」

「あなたがスタイリストなら、この人の服装をどう変えたいですか」

「凋落(ちょうらく)著しいと言われる民放某局、あなたが社長ならどう復活させますか」

という風に考えると、臨在性と迫真性が増し、集中力と好奇心が湧いてきます。

日常生活に不満が多ければ多いほど、この自問の機会に恵まれています。

「この醤油さしは液ダレしやすくて不便ですが、あなたならどんなデザインにしますか」

など、いくらでも考えることが出てくるはずです。

「自分なら……」と当事者意識を持つことで、物事に対する集中力が増します。

すると、物事の隠れた可能性を見つけやすくなります。できないと決めつけていたことを「変えられるのでは？」と思えるようになります。好奇心だけでなく、発想力や創造力、そしてもちろん、自己効力感もアップできるのです。

やる気が出てきたら、思い切りアクセルを踏める！

「テンションの上がる最終目標」を立てて、意欲も十分にチャージできたら、いよいよ実践です。

このとき、よくある間違いが、「最終目標から逆算して等分に短期目標を立て、スケジュールに落とし込む」というプランニング。

壮大な目標であればあるほど、短期目標への細分化は難しくなるものです。ましてや、それを等分にコツコツ……では、正直あまり面白くなくて、テンションが下がります。

目標達成は勢いが大事。ですから、短期目標は大まかな設定で構いません。

とにかく目の前のことに、120%のエネルギーを注ぎましょう。

短期目標は、自分で設定するものとも限りません。会社員の方なら、自分の意志と関係なく指示されたことをすることのほうが多いでしょう。ならば、それにも120%のエネルギーを注ぎましょう。「あなたならどうする」をフルに働かせ、発想力をフルに駆使してあなたにしかできないクオリティとスピードを実現させましょう。

そんなことをしたら息切れするのではないか、という心配はいりません。まずは1カ月、その勢いでやってみると実力がついて、二度目は少ない労力でできるようになるからです。

短期間、集中的に自分に負荷をかけることで、できることの範囲も増えます。思考をフル回転させたことで出てきたアイデアを、別の機会で再利用することもできます。

つまり、序盤（じょばん）に120％のエネルギーを注げば、どんどんレバレッジが効いてくるのです。

ちなみに、周囲からの「評価」の点でも、この方法はとても有利です。スピードなり量なりクオリティなり、最初に「高いパフォーマンス」を見せておくと、周囲が「この人はスゴイ」と思ってくれます。本当はまだ第一歩を踏み出しただけなのですが、「この人なら大事なことを任せられそう！」という信頼感を持ってもらえます。

130ページで話した「知識のドーナツ化現象」と同じことが起きるのです。

そのドーナツの中身は、これから埋めていけばいい。

あなたにできることは、どんどん増えていくのですから。

その嬉しさを味わいながら、枠の外へ外へと、アクセルを踏み込みましょう。

知っておきたい勉強の基本

——一生使える「勉強PDCAサイクル」

自分に最適な勉強法も日々変化する

学生の勉強と社会人の勉強、どちらが「大変」?

ここまでのところで幾度か、学生時代の勉強と社会人の勉強の違いについて語ってきました。

学生時代に学ぶのは、全員共通の「教科」。
社会人が学ぶのは、千差万別の知識やスキル。
学生時代の評価は、点数化された「試験結果」。
社会人の評価は、複雑で主観的。

そう、社会人は何を学び、何を目標とするかを自分で考えなくてはなりません。

しかも、それが「正解」かどうかもわかりません。

学生時代の試験問題には出題者が決めた正答がありますが、社会人の課題には、そんな答えは用意されていません。

しかし、これを「難しい……」「大変だ！」と思う必要はありません。

正解がないのなら、自分で作り出すことができるからです。

自分なりの方法で結果を出せば、それが正解になります。

それはとても自由で、エキサイティングなことではないでしょうか。

目標設定限度が「青天井」であることも、社会人ならではの面白さです。

学生の共通目標は、試験の正答率を上げていくことです。とすると、めったにあることではないですが、全科目で100点を取ってしまうということもあり得ます。ここまで来ると、それ以上達成すべきことがなくなってしまいます。

社会人の生活に、これは起こり得ません。

社会環境、組織の状況、周囲のニーズ、あらゆることが刻々と変化し、新たな課題が次々に生まれ、その答えを創造していくことができるのですから。

かつての正解が、正解でなくなることももちろんあります。

だからこそ、**社会人にこそ勉強が必要であり、社会人の勉強こそ、楽しいのです。**

「終わりのない挑戦なんて、疲れるなあ」

と思ったあなた、忘れてはいませんか？

勉強は誰かに強要されて行うものではなく、自分の意志で、自分の成長のために行うもの。目的は、前より素敵な自分になることです。

それではいよいよ、その進め方をお教えします。

できなかったことができるようになって、見えなかったものが見えるようになるには何をすればいいのか。

この章では、それを解説しましょう。

人生は絶え間ない「微調整」である

第1章で、「万人に適合する勉強法はない」と述べました。僕らの土壌は一つひとつ違っていて、何を植えるべきか、どう育てるかは人によって違うからです。

土壌の成分もまた、年々変化します。人は変わりゆくものです。20代、30代を迎えて、昔とは趣味や嗜好(しこう)が変化していることを実感する人も多いでしょう。

勉強において顕著(けんちょ)に見られる変化はというと、まず目立つのが、記憶力の低下。

人間の記憶力は10代がピークで、その後は下降すると言われています。

ですから、大学受験のときにうまくいった勉強法を、大人になってから実行したところで、成果が得られる保証はありません。

自分にフィットしたオーダーメイドのスーツを買ったとしても、1年後には太って少し窮屈(きゅうくつ)になっているかもしれません。その場合、現在の体型に合わせて採寸し直して微調整をしますよね。

実は勉強法も同じなのです。

今までだったら10回書いて覚えていたものを、11回にする必要があるかもしれません。反対に8回書けば覚えられるようになっているかもしれない。

自分が日々変わりゆく以上、勉強法も同じやり方を漫然と続けていてはいけません。

そのときの自分に応じて、一番やりやすく、成果が出る方法に微調整し続ける——それが「世界に一つだけの勉強法」です。

僕は、勉強に限らず、人生そのものを微調整の連続だと思っています。

誰もが無意識のうちに、あの手この手で物事をうまく運ぶための工夫を行っているものです。恋愛しかり、スポーツしかり、ダイエットしかり。

仕事をしている人もそうです。段取り術、商品開発、宣伝方法、あらゆる場面で色々なアイデアを試し、問題があれば修正してもっと良い方法を試すでしょう。

この微調整のサイクルを回し続けることが、成功するためには不可欠なのです。

トライ&エラーで「世界に一つだけの勉強法」を見つける

微調整はこうして進める！　勉強のＰＤＣＡサイクル〈前編〉

ここで、ビジネスパーソンの方は「ＰＤＣＡサイクル」という言葉を思い出されたかもしれません。

仕事の成果をより高めていくための、

計画（Ｐｌａｎ）→実行（Ｄｏ）→検証（Ｃｈｅｃｋ）→改善（Ａｃｔ）

という、あのサイクルです。

ビジネスパーソンの必須スキルとして注目されているこのサイクルですが、実は仕事のみならず、勉強で成果を出したいときにも有効な指針になります。

日々能力や環境が変化する自分に最適な勉強法を見つけ、実践していくときにも、この考え方が不可欠なのです。

ところで社会人の皆さん、このサイクルを活用していますか？　上司から「ＰＤＣＡをちゃんと回して」と言われつつも、なんだか腑に落ちない気がしていませんか？

無理もないことです。

僕は正直なところ、このサイクルは「ザックリすぎる」と思っています。計画とは具体的に何をすることなのか、実行もどこからどこまでを実行と呼ぶのか、大まかすぎてわかりづらいですよね。

そこで、勉強の微調整サイクルはもう少し細かく、６段階に分けました。

まずは、前半部分から説明しましょう。

①仮説

ＰＤＣＡのＰ、計画に当たる部分です。

自分に合っているかもしれない、と思われる方法をまずは想定します。

「手を動かして覚えるのが得意だから、毎日英単語を10回ずつ書こう」

「耳から覚えるのが好きだから、移動時間中と、夜寝る前に1時間、ＣＤを聞こう」

「毎日5問ずつ問題を解こう」などのやり方を決めます。

その内容は、必ず**「毎日行える」もの**にすること。

回数や数量も、細かく決めておくことがおすすめです。

なお、複数の仮説を同時に立てるのは厳禁。まずは単一のルールを定め、その一本に絞って、第2段階に臨みましょう。

②実験・観察

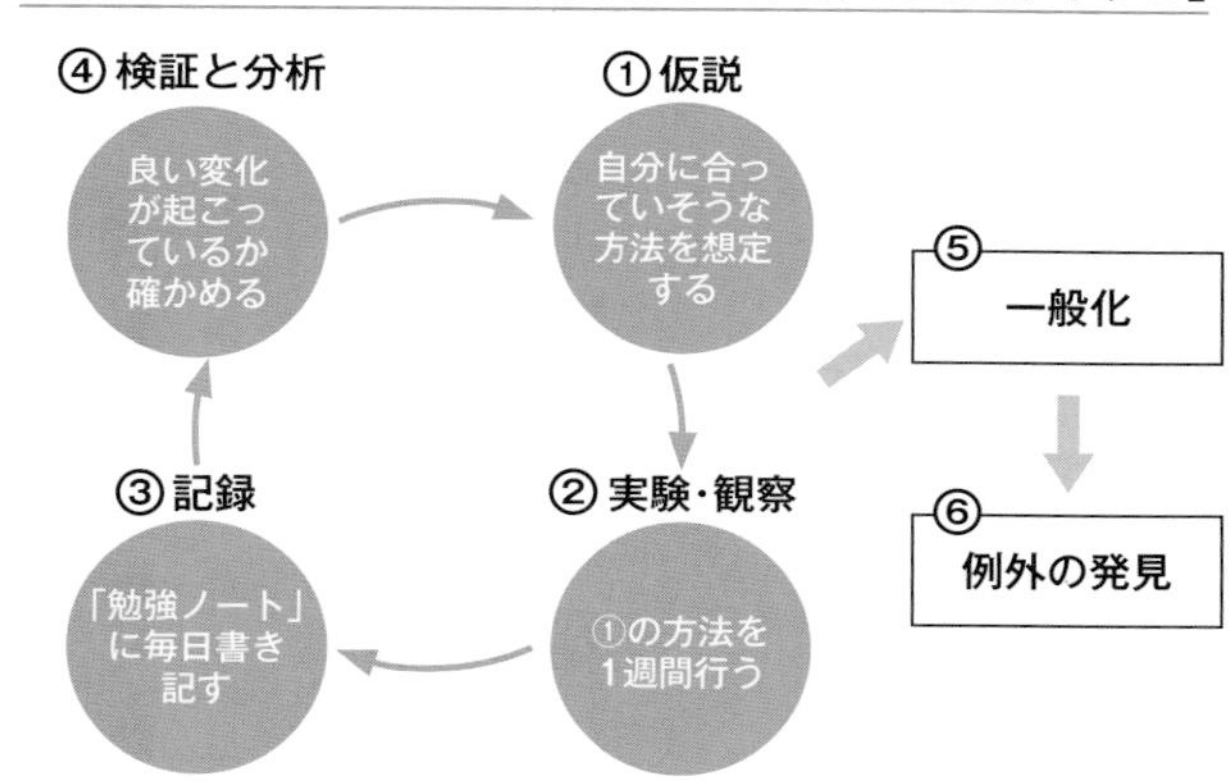

ＰＤＣＡのＤ、仮説に従って実行し、感覚をつかむ段階です。**少なくとも3日間、できれば1週間、連続して行いましょう。**

ここでは、第3章の最後に述べた「120％」のエネルギーを注ぎ込むのがポイント。

時間をかけるのではなく、むしろ「短時間でどれだけ吸収できるか」を意識しつつ、集中力を高めて取り組むのがコツです。

③記録

この段階は、②と並行して行いま

す。

「勉強ノート」を用意し、毎日、勉強した内容を簡単に書き記しましょう。

学んだ箇所、所要時間、加えて「手ごたえあり」「飽きてきた」「どうもよく頭に入らない」等の簡単な所感も書いておくこと。

この段階こそ、前半部分の最重要プロセスです。

一般的ＰＤＣＡでは「Ｄ」の一言で簡単にまとめられているプロセスですが、ここをより丹念に行って後に生かすには、「書き記す」ことが不可欠なのです。

微調整はこうして進める！　勉強のＰＤＣＡサイクル〈後編〉

続いて、後半部分を説明しましょう。

後半の最重要プロセスは、第４段階の「検証と分析」、ＰＤＣＡのＣです。

微調整の「サビの部分」なので、心して行いたいところです。

④検証と分析

1週間かけて行った勉強内容を、どれだけ理解できているかをチェック。テキストや問題集をざっと見直して、記憶に残っている度合いを確かめます。

記録ノートを見て、所要時間の短縮や、手ごたえ感の上昇など、良い変化が起こっているかどうかも確かめましょう。

最初に期待したほどの変化がなければ、ほかの方法を試す必要あり。①に戻って別の仮説を立て、また1週間、②実行・③記録をします。

そして再び、検証・分析をします。一番目と二番目の方法を比較し、より成果の挙がったほうを採用します。

「さらに良い方法があるかも」と思えば、またそれを試します。

その繰り返しの中で、しっくりくるものの傾向、法則性が明確になっていきます。

⑤一般化

ここまでの段階で「英単語は朝に5回書いて、夜に見直す方法が一番」という法則性を発見できたとしたら、それを**別の科目の勉強やビジネスにも応用しましょう。**

英単語でできたなら、漢字や歴史も同じやり方を試してみます。

また営業マンなら、顧客情報のインプット等に活用することで業務効率もサービスの質も大いに改善できるでしょう。

⑥例外の発見

⑤を実践しているうち、見つけた法則性が「何にでも応用できるわけではない」という気づきが出てくるはずです。

どんな法則にも、必ず例外はあります。**うまくいかないとわかったら、その例外用の仮説を立てること。**「英語の長文は音読したほうが理解しやすい」「顧客情報は、書くよりも黙読を繰り返すほうが頭に入る」など、新しいノウハウをつくって適用しましょう。

エラーが出れば、すぐ次へ――間を置くと振り出しに戻る

以上の要領で、常にこのサイクルを回し、違和感が出るたびに調整していきましょう。

このプロセスは、一言で言うと**「トライ&エラー」**。日本語にすると「試行錯誤」です。

あれこれ試し、その時々のベストな方法を探り続けながら学ぶこと、これを心理学では「試行錯誤学習」と呼びます。

「エラーばかりが続くと嫌になるのでは?」という心配はいりません。

実際に2〜3個の仮説を実践するとわかりますが、自分に合う勉強法は、合わないものと比べると、快適さのレベルも吸収・定着率も段違いですから、す

ぐに良い方法が見つかります。

仮説同士を比較する繰り返しのなかで、トライの精度も上がります。最初は手探りでも、サンプルが増えれば「やりやすい方向性」がハッキリしてくるので、微調整の作業もどんどんラクになります。

いったん軌道に乗れば、サイクルはどんどん滑らかに回り出すのです。


もっとも良くないのは、1個トライしてダメだった、というだけで投げ出すこと。


多くの人はこれをしてしまうから、勉強が身につかないのです。

なんとなく1つの方法を試して放り出し、数カ月経ってから「やっぱり何かしなきゃ」ともう一度テキストを引っ張り出す。またゼロから同じことを始め、やはり面倒になって放り出す。これでは何も積み重ねられません。

1つの仮説がダメなら次の仮説、それもダメなら次の仮説、と3つ4つ、5つ6つと続けざまに行うのが成功のコツです。

検証は、比較サンプルがないと成り立ちません。そして、サンプルは多ければば多いほど方針を定めやすくなります。

たとえエラーであっても、それは「どうやら自分は書く勉強法が苦手らしい。では読む勉強法ならどうだろう?」といった具合に、次に目指す方向性を教えてくれる、ありがたい情報です。成功・失敗双方のデータを検証し続ければ、「物事を最短で吸収できる方法」がどんどん見えてきます。

そのうち「勉強なんて簡単だ!」と、確実に実感できると保証しましょう。

「巨人の肩」に乗れば今までと違う景色が見えてくる

PDCAの基盤は「改善」と「成長」

少し話が脱線しますが、そもそも僕がPDCAサイクルという方法にたどりついた過程をお話ししたいと思います。

仮説、実験・観察、記録、検証と分析……。

このサイクルには、理科の授業に出てきそうなキーワードがたくさん登場しますね。

そう、試行錯誤学習とは一つの「科学」です。

科学の発展はすべて、このサイクルの上に成り立っています。

あらゆる発明品は試行錯誤の末に生み出され、現在も改善の途上にいます。

さてこの「改善」という概念ですが、いったい何がどう良い方向に向かっているのか、わかりますか？

それは「人間の機能が拡張されてゆく」ということです。

人体は「発声する」機能を持っていますが、その声をより遠くまで届かせるために電話やスカイプが発明されました。歩いたり走ったりして「移動する」機能も、自転車や自動車、列車、飛行機と、どんどん拡張されてきました。

飛行機となると、文字通り飛躍的な拡張です。

人体には飛ぶ機能などないのに、先人は木枠で翼を作ったり、それがダメなら金属を使ったりして、「飛べる乗り物」を作り出しました。

この人々がもし、1回のトライに失敗した時点で「人体には翼がついてないから無理」などと言って投げ出していたら、飛行機は発明されませんでした。

第1章で、奇跡を実現させるコツは「科学と情熱の融合」という話をしましたね。

僕たちが今、簡単に海を越えて海外にも行くことができるのは、「空を飛んでみたい」という情熱を持ち、戦略的に微調整サイクルを回し続けた人たちのおかげなのです。

これらの歴史を支えてきたのは、「人間は、より良くなれる」という、科学の根本にある信条です。

科学の目的は、人類という集団全体の発展です。人は皆、過去の人々が作り出したものを「乗り物」にして、さらにその先へと歩みを進めます。

西洋では、これをしばしば**「巨人の肩」**という言い回しで表現します。

ニュートンは、「私が彼方を見渡せたのは、ひとえに巨人の肩の上に乗っていたから」だと、友人への手紙に書き記しています。

彼の偉大な業績も、過去の知恵の蓄積の上に成り立ったものなのです。

「勉強する」という行為は、「巨人の肩に乗ること」にほかなりません。

たとえば「九九」。

「一けたの掛け算の答えをすべて丸覚えするフレーズ群」を先人がつくってく

勉強とは、巨人の肩に乗ること

れたおかげで、私たちは迅速(じんそく)に計算をすることができます。

もし、「9×9＝？」という問題を、「九九」という計算法を知らず、「9＋9＋9＋……」と解いたとしたら？　これでは絶対に「九九」を知っている人より速く解くことはできませんよね。

勉強をせず、改善を目指さないということは、自分の力だけで地べたを走っているのと同じこと。それでは、当然人生は成功しません。

歴史を変えるような発明をしてきた人は、その人が天才だったから成功したのではありません。ただ、情熱を持って巨

人の肩に乗っただけなのです。

このＰＤＣＡサイクルも、科学という偉大な巨人の肩に乗ったからこそ発見できた法則の一つです。ぜひ、あなたも巨人の肩に乗ってみてください。きっと、今までとは違った新しい景色が見えるはずです。

知識の定着度はアウトプットで測ろう

「エア生徒」を想定すれば思考力が上がる！

さて、ＰＤＣＡサイクルの具体的な回し方に話を戻したいと思います。

ＰＤＣＡサイクルを実践していると、ふとこんな疑念がよぎることがあるでしょう。

「一応覚えたけれど、『身についている』いるんだろうか」

これは、「暗記」と「理解」の間の壁、とも言えます。

「おバカごまかし」の話をしたときにも少し触れたように、定期試験の範囲をベタッと丸暗記するだけで、理解ができていなければ、実力テストや模擬試験で好成績を挙げることはできません。

おバカ界の国境を越えるには、暗記だけではなく理解の領域に到達することが必要だということです。

ではこの「理解」とは、どういう状態になることでしょうか。

簡単に言うと、**「人に説明できるようになる」こと**です。

僕は大学時代、授業を受けた直後、レコーダーに向かって授業の内容を話す、という勉強法を実践していました。

自分の目の前に生徒がいるつもりになって、先生になり切って授業をするのです。

すると、説明がうまくいかないポイントが見えてきます。

もしエア生徒に、「そうなるのはなぜ?」「基本はそうだけど、この場合はどうなるの?」などと聞かれたら説明できないかも——と思うポイント、それが「理解できていないところ」だとわかるのです。

このように、**勉強をするときは「アウトプット」を意識すると、理解につな**

がりやすくなります。

僕の場合は声を使って行いましたが、「書く」ことでも同じ方法をとれます。

何かの講座を受けている人なら、ノートの取り方に一工夫加えてみましょう。

現在、ノートをとる作業が「黒板を見ながら写す」のみになっているとしたら、それは単なるコピーであり、インプットに過ぎません。

ここで、アウトプットの側面を取り入れると、効果が格段に変わります。

まず、先生の説明を聞きながら、黒板を見ます。

その情報に、ある程度まとまりが出てきたら、「黒板を見ずに」ノートに自分で説明を書いてみましょう。

文章でも、フローチャートでも、箇条書きでも構いません。自分に合った書き方で、

「今、先生は何と言ったっけ？」

「たしかこういうことだったはず……」

と思いながら、書いてみましょう。断片的なキーワードだけメモして、それを解釈し、図や文章にする、といった方法もいいですね。

そんなことをしていたら、授業のスピードに追いつけない？

そのタイムプレッシャーも、集中力アップの追い風になります。このような「少し難しいと感じるトライ」が実力アップのコツだということは、１４５ページ「６：４の法則」でご説明した通り。

こんなの「少し」じゃない、ハードすぎる！

……と感じる場合は、教科書や参考書を使って、同じことを試してみましょう。

書かれたことを丸写しするのではなく、自分なりの言葉や自分なりの図で、書いてみるのです。

そして、あなたの「エア生徒」にどう説明するか、考えてみましょう。

思考力が刺激されて、理解が深まっていくこと確実です。

苦行が苦行でなくなるとき

「勉強は苦行なんかじゃない、って言ったくせに……」

「やっぱり少しは『ハードなこと』をしないといけないんだ……」

と、ガッカリ顔でブツブツ言っている皆さん。

あなたは、ゲームが好きですか？　だとしたら、あっという間にクリアできてしまうゲームなんてつまらない、と感じませんか？

はたまた、筋トレは好きですか？　軽すぎるダンベルだと退屈しませんか？

ミステリーは好きですか？　すぐに犯人がわかってしまうお話は楽しいですか？

人は「ちょっと苦労をして手に入れる」ことにこそ、喜びを感じる生物です。

勉強も同じです。その瞬間はハードでも、それを超えて理解に到達すると面

白い、やめられない、となるのです。

トータルで考えると、勉強は楽しい作業なのです。

第1章で話した、漢字の書き取りなどはたしかに、単なる苦行です。デキる子には退屈、デキない子には苦痛。上から与えられる課題を、否応なしに延々とさせられるだけの、つまらない作業です。

しかし、ここで話した勉強法は、「ハードさの度合い」を自分で決められます。

PDCAを回しながら、自分が一番楽しいと思える度合いを、自分で設定できるのです。

量を増やすも良し、制限時間を縮めるも良し、問題の難易度を上げるも良し。

その中で「わかったぞ」「前より進みがいいぞ」「こんなにできたぞ」と思う瞬間は、大きな高揚感をもたらすでしょう。

そして、終わった後には「今日も頑張った！」という爽快感が待っています。

ですから、やる前から「頑張るのは嫌」などと言っていてはいけません。

とにかく実践、これが一番。

まずは最初の「P」で、自分に合った方法をイメージしてみましょう。

――自分に何が合っているか、全然わからない？

では、次章でそれを見つける手立てをお教えしましょう。

自分の「タイプ」をつかんで、自分らしい勉強法を見つけるヒントにしてください。

自分にピッタリの勉強法の見つけ方

——心理学でわかる「性格タイプ別勉強法」

自分の性格を把握すれば、勉強の効率は格段に上がる！

人間には9つのタイプがある

「自分に合った勉強法がわからない」とお悩みの皆さん。

その悩みは、「自分がどういう性格かわからない」という悩みとほぼ同じです。

人間の性格は9タイプに分かれていて、それぞれ、合った勉強法も違う――と言われたら、それを知りたいと思うでしょう。

本当に自分に合う勉強法は、様々な勉強法をＰＤＣＡサイクルで回し、試し、絶えず改善させていく「世界に一つだけ」のものです。

こう言うと、果てしない作業に思えて、やる前から心が折れてしまう人がいるかもしれません。

たしかに、全世界360度を見渡して一つだけ見つけるとなると、自分の性格を知らない人には至難（しなん）の業（わざ）。

しかし、自分のタイプが9つのうちの1つだとわかれば、探す範囲は9分の1。手間が大幅に省けるのです。

ではこの9タイプ、どのようなものかというと……。

僕は、これまで1300人を超える子どもたちの指導をしてきた中で、僕自身の専攻でもあった心理学の理論をあらゆる場面で活用してきました。

その中で編み出したのが、この**「9タイプ分類」**です。

心理学の世界には、様々な性格分類法があります。

「9タイプ分類」は、エニアグラムという理論をベースに、「特性論」や「交流分析」などの、いくつかの学説の良いところを配合したものです。

坪田塾の生徒には、入塾時に必ず、9タイプの診断テストを受けてもらいます。

ある質問に答え、その結果を計算することで、性格タイプがわかるというものです。

実際に結果を伝えると、「言われてみれば、当たってる！」「たしかにうちの子、そういう性格です」と、本人も親御さんも驚きます。そして、タイプごとに適した指導法を行うと、効果が目に見えて変わってくるのです。

やる気が出てくる、集中力が続く、頭に入りやすくなる、成績が上がる……。

自分の性格を熟知して勉強の方針を立てれば、無理なく、効率的に、モチベーションを保ちながら勉強を進めていくことができるのです。

あなたにも、自分の性格に合った勉強法が必ず見つかります。

まずは、次ページからの簡易版診断テストを受けてみてください。

たった9つの問いに答えるだけで、あなたのタイプがわかります。

さあ、トライしてみましょう！

９タイプ診断テスト

次の９問の項目のそれぞれに、どの程度自分が当てはまるか、10点満点で点数をつけてみてください。

９タイプ勉強法診断テスト（簡易版）

1	任された仕事は責任を持ってしっかりやり遂げるタイプである。
2	人生にとって一番重要なことは、親密な人間関係だと思う。
3	人と競争してこそ何かを達成しやすくなるし、そこにやりがいがある。
4	本当の自分を理解できる人は、周囲には少ないと感じている。
5	行動する前によくよく考えたい。それからでないと動きたくない。
6	みんなで議論して、総意を決めてから実行するほうが安心できていい。
7	好奇心旺盛（おうせい）で、色々なことに気軽にチャレンジしていくことが好きである。
8	上司やエライ人の言うことでも、おかしいと思うならしっかり反論する。
9	人間関係において波風を立てることは絶対に避けるべきだ。

それぞれの質問を、10点満点で採点し、一番点数の高かった番号が自分のタイプです。同じ点数の項目が並んだ場合、複合タイプとして、両方のアドバイスを参考にしてみましょう。

判定結果：あなたの「性格タイプ」は？

いかがだったでしょうか。
一番点数が高かった番号のところが、あなたの性格タイプです。

①完璧主義者タイプ　□点
②献身家タイプ　□点
③達成者（上昇志向）タイプ　□点
④芸術家タイプ　□点
⑤研究者タイプ　□点
⑥堅実家タイプ　□点
⑦楽天家タイプ　□点
⑧統率者（カリスマ）タイプ　□点

⑨調停者（協調性重視）タイプ　□点

※ただし、この判定はあくまで簡易版なので、判定は参考程度にしてください。より詳しく知りたい方は、拙著『人間は9タイプ』（子育て編・仕事編／KADOKAWA）をお読みいただくか、以下のURLまで。

http://apps.amwbooks.asciimw.jp/9t/pro/

それぞれのタイプに合った勉強法を知ろう

さて、自分が何タイプかおわかりになりましたか。

ここからはいよいよ、各タイプに適した具体的な勉強法を紹介します。

まずは、自分の該当するタイプのページを読んで、自分に向いていると思われる勉強法を試してみてください。

余力のある人は、ほかのタイプのページも読んでみましょう。一対一で教えを請うときの「ゴールデンサークル」など、知っておくと誰にでも役に立つ学びのコツも紹介しました。

タイプ① 完璧主義者

トップバッターは、完璧主義者タイプ。

理想が高く、その理想を妥協せずに完璧に達成しようとするタイプです。

細かいところまで目が届き、緻密(ちみつ)な作業も得意。

デスクの上も頭の中も整頓(せいとん)されていて、感情コントロールも上手。

約束を違える、期限を破る、といったこともまずありません。

弱点は、計画なしに実行するのが苦手なこと。細かすぎて、視野が狭くなる傾向もあり。

《完璧主義者タイプにピッタリの勉強法》

「計画通りにしたい」欲求の強い完璧主義者タイプですが、残念なことに、計画というものは必ずズレます。そうなるとこのタイプは一気にモチベーションを低下させ、投げ出してしまう可能性があります。

そこで、**ペースメーカーになってくれるコーチやメンターを見つけるのが有効。**

先輩、上司、尊敬する人……得たい知識について詳しい人なら、誰でも構いません。

遠慮せず、単刀直入に「指導役になってください」と頼みましょう。

人はとても「教えたがり」な生物です。神戸大学で発達心理学を教える赤木（あかぎ）和重（かずしげ）准教授によると、子どもはなんと1歳半から人に何かを教えようとし始め、2歳になると問題を出し、3歳になるとヒントを出すようになるそう。

ですから、教えてくれと言われて嫌がる人はまずいません。

メンターが決まったら、知りたいことを聞きましょう。

計画をどう立てればいいか、目標をどう設定しようか、何から始めるか、など。

いずれにしても、ここは**一対一で教えを請うときの「ゴールデンサークル」**

を知っておくことが有効です。

それは、**WHY↓HOW↓WHATの順番で話す**ことです。

まずは、なぜこの知識を得たいと思ったのか、これによって何をしたいのか、というWHY（動機）。

次に、どのようにすれば習得できるだろうか、というHOW。

最後に、あなたに何を求めているか、というWHAT。

この順番で話すと、上手に知識やアドバイスを引き出せます。筋道を立てて話すのが好きな完璧主義者タイプなら、こうした話し方は得意でしょう。

なお、このタイプは視野が狭くなりやすいのが弱点。過去問やテキスト、データだけにとらわれず、「生の情報」に触れることも大事です。

高校生なら、志望大学の赤本だけでなく、現地に足を運ぶこと。

就活中の学生や、転職希望者も同様です。企業情報を知るには「四季報」やネットを見るだけではなく、その会社に行って、出てくる社員を観察しましょう。その企業がどんな雰囲気を持ち、どういうタイプの人材を好むのか――つまり、ニーズを読むのです。英会話を習得したい人も、実際にネイティブと話す機会をたくさん持つのが得策です。

タイプ②　献身家

献身家タイプは、他者のために行動するのが好きです。人に喜ばれることに強い満足を感じるタイプです。勘が鋭く、人の気持ちに敏感（びんかん）。思いやり深く、細やかな気配りができる「気の利（き）く人」。誰に対しても友好的で「皆にお菓子を配る」などの気前の良さも特徴的です。

「ありがとう」「助かったよ」と言われるのが大好きですが、反面、感謝されないとスネる傾向も。世話を焼きたい気持ちが強すぎて、「おせっかい」と思われることもあります。

《献身家タイプにピッタリの勉強法》

このタイプの勉強の動機はたいてい、「誰かのため」です。親に喜んでもらいたいから、友人や恋人のサポートをしたいから、など。

ですから、誰のために頑張ろうとしているかを、まず自分の中で明確化しましょう。そして、その相手が身近にいれば、直接それを宣言しましょう。

次いで、勉強を始めるときには仲間をつくるのが一番です。

自分と同レベルの仲間とペアを組み、テキストを分担して担当部分を覚え、互いに教え合う、という方法がおすすめです。

人間は教えるのが大好きな生物だと言いましたが、とりわけこのタイプはそれが顕著なので、利用しない手はありません。アウトプットすることで知識も定着しやすく、メリット満載です。

教わる側になったときも、このタイプは「相手のため」を考えます。

相手が教えやすい聞き方をし、相手の理解の薄そうなところを、それとなくカバーするような質問をします。

となると、献身家タイプ同士でペアを組んで勉強するのがもっとも良い方法と言えます。

教え好き、かつ教わり上手。２人とも「相手に役立つため」に、しっかり担当部分を勉強します。結果、知識がどんどん確かなものになっていきます。

ちなみに芸術家タイプはデキにバラツキがあったり、すぐ飽きたりするので相手には向きません。仕切り屋でリーダーシップをとろうとする統率者タイプも悪い相性。

対等かつ平和に協力体制が組める相手を選ぶのが正解です。

タイプ③ 達成者

競争心が強く、常に上昇志向ＭＡＸ。

少々ハードなことでも頑張れてしまうエネルギッシュなタイプ。

明るく、行動的で情熱的。職場ではその積極性で周囲のモチベーションを高める、心強い存在でもあります。

反面、成長が実感できないことをコツコツやらされるのは大の苦手。

自分の描いたイメージよりうまくいかない、と感じたときも強いストレスを感じます。

《達成者タイプにピッタリの勉強法》

指導者に一番手間をかけないのが達成者タイプ。

あれこれ手をかけずとも上昇志向の赴（おもむ）くままに頑張り、成果を挙げようとするからです。

コーチや仲間に頼らずに独学で勉強を進めても、このタイプならモチベーションを維持できます。

ただし、それは成果が出てこその話。成果が出ないとすぐにやる気が下がります。

従って、**自分のレベルや好みに合う「テキスト選び」が決め手**となります。

書店に行き、学ぶジャンルの参考書のうち、主だったものを全部引っ張り出しましょう（本を複数冊開くスペースがある大型書店がおすすめです）。

その上で、「よく知っている知識が載っている場所」を開きます。英語の関係代名詞が得意なら、そのページを開き、どの参考書が一番しっくり頭に入るかを見比べます。

「自分だったら、こう説明する」のイメージに一番近いものが、一番合うテキストです。よく知る箇所でフィットするなら、未知の知識に関して記した箇所でも、同じように頭に入ってくるはずだからです。

このとき安易に「よく使われている参考書だから」という理由で選ぶのは禁物。

そうした参考書は、誰にとってもデメリットが少ない＝無難でエッジが立っていないテキストだからです。たとえマイナーな出版社のものでも、「自分にしっくりくる」感覚のほうを優先しましょう。

もう一つ達成者タイプにおすすめなのが、**短期目標をたくさん設定するこ**

と。

序盤に、達成しやすい目標を3つ4つクリアすると、一気にやる気に火がつきます。

内容は、あえて非常に単純なものにすること。「所要時間15分」と指定されている問題を10分で解く、3問解き終わるまで椅子から立たない、など。

逆に、短期目標を大きなものにするのは危険です。

「政治家になる」という大志を抱く達成者タイプが、「手始めに、この組織で1年以内に最年少のリーダーになる！」などの高いハードルを設定すると、それに失敗しただけで気力がなえてしまう可能性あり。

ダメージが強かった場合は、そのまま迷宮に入り込むことも。

「政治家はやめた、ベンチャー社長になろう！」と思ってまた早々と挫折、ならば弁護士だ、いや俳優だ——と、高い目標を次々と挿げ替えるようになってしまうのです。

目標は「小さくたくさん」用意する。これが成果を確実に得るコツです。

タイプ④　芸術家

ロマンチストで繊細、感受性がすこぶる豊か。ユニークなセンスや価値観を持っていることに誇りを感じていて、常識や社会のルールには無頓着なのが芸術家タイプ。

何かを押し付けられることや、義務を果たすことが苦手。自分を理解してもらえない環境にもストレスを感じます。にもかかわらず、「わかったような態度」を取られると、それはそれで機嫌を損ねるので、周囲からは「面倒くさい人」と思われがちです。

《芸術家タイプにピッタリの勉強法》

正直なところ、芸術家タイプは机に向かって行う、いわゆる「古典的な」勉強には向いていません。そういうみんながやっていることに対してあまり価値が見出せないからです。世間が価値を置くような「大学合格」「資格取得」「昇進」などにも無関心です。

しかしそれでは話が終わってしまうので、一つ、エピソードを紹介しましょう。

『ビリギャル』さやかちゃんの妹・まゆちゃんは、典型的な芸術家タイプでした。

発想がユニークで、勘が良く、そして「勉強嫌い」。小学生の頃は「なんで学校に行くのかわからない」と言って、至って明るく不登校生活を謳歌したツワモノです。

坪田塾で彼女を指導していたのは僕の右腕とも言える優秀な講師だったのですが、彼女には「お手上げ」の体でした。普通、周囲が頑張り出したり、成果を上げ始めたりするとその影響を受けるものなのですが、彼女はまったくやる気を出しません。そもそも、「大学合格」にさしたる魅力を感じていなかったのです。

そこで僕は、彼女に言いました。

「君はとてもヘンで、面白くて、センスにあふれる子だけれど、誰にも理解されていないし、評価もされていないよね？　それはとても不当なことだと思う」と。

うーん、と考え込む彼女に、さらにこう言ってみました。

「お姉ちゃん（さやかちゃん）が慶應に受かったとたん、周りの人は『頭が良かったんだね～』と急に態度を変えたでしょ？　そう、世間の評価なんてバカバカしいものだよね。でもそれが現実だ。それなら『良い大学に受かる』という方法で、世間の見る目を変えてやればいいんじゃない？」

つまり「この子タダ者じゃない」と言わせる「手段」として大学合格を目指そう、と言ってみたのです。姉のさやかちゃんが不合格だった上智大学に受かることで「世の中に君をわからせよう」と勧めたところ、やっと火がつきました。

そして芸術家タイプらしく、ものすごい紆余曲折がありながらも、僕の部下の中野の指導のもと、志望通りの、上智大学合格を達成したのです。

このように、**芸術家タイプは「目標の目的」を意識することが大切。**形ある目標にはなかなか興味を持てない芸術家タイプも、「それを達成するとどうなる?」という、目標の先の目的をイメージするとやる気が出てきます。

ちなみに、いったんやる気を出せばすごい集中力を発揮するので、具体的なスケジューリングや方法はきっちり決めすぎなくても大丈夫。

とにかく「最終目的」のイメージを描くこと。それも、自分にしかできないような、ユニークで面白いものにするのが決め手です。

タイプ⑤ 研究者

好奇心旺盛で、気に入ったことをどこまでも探究したがるタイプ。それも「一人で」極めたいと考えるのが特徴です。論理性が高く、理解力や分析力もハイレベル。しかし、それを人と共有することには興味を持ちません。

人と歩調を合わせる気がないため、職場ではチームプレイが不得手。人を助けたり教えたりすることを「面倒だ」と感じがちです。

興味の対象に没頭しすぎて、「ほどほど」なところで止められないのも弱点です。

《研究者タイプにピッタリの勉強法》

このタイプは基本的に勉強が好きです。しかし、勉強が好きすぎて、「手段」と考える姿勢に欠けています。

大学入試や資格試験など、「一定のレベルに達すればＯＫ」なことでもストップがかからず、オタクレベルの知識にまで没入していくことがあります。

またまたかつての教え子の話になりますが、研究者タイプのＷくんは、地理の授業中に、ひたすら地図帳を見続けている子でした。

授業についていけないわけではありません。授業レベルの知識はとっくに習得済みです。それでも知識欲が止まらず、愛知県の地図を見ながら「この地形だからこそ自動車産業が発達したのか」などと考えてしまうのです。

本人は楽しいかもしれませんが、「入試」に即した方法とは言えません。苦手科目を放置するのも困った傾向でした。試験科目が1教科の大学など、まずありません。僕は通常、生徒を伸ばすためには「得意なこと」をさせるのですが、このタイプだけは逆。Wくんには、不得意科目に意識的に取り組ませました。

ちなみに今、Wくんは獣医になっています。地理とは畑違いですが、やはり研究と不可分な分野に進んだわけですね。

ともあれ**研究者タイプは、勉強を「目的に即した形」に調整することが大事です。**

社会人が資格試験を受ける場合は、合格最低点を把握し、それに必要な学習は何かを見定め、「ここまで知ればストップ」と最初に決めるのがおすすめ。

そして、**参考書ではなく、問題集ベースの勉強をしましょう。**テキストを読んで思考力を鍛える必要はもうありません。「この問題が解ければ受かる」という目的直結型の学習法が「ちょうどいい」のです。

なお、このタイプも芸術家タイプと同じく、「目標の目的」を意識することが有効。

研究すること自体を目的化せず、研究によって何を変えられるか、世の中にどういう影響を与えるか、を考えましょう。自分の得た知識を外部に伝える・役立てる視点を持つことが大切です。

タイプ⑥ 堅実家

穏やかで思いやり深く、協調性も大。慎重に、コツコツと物事を積み重ねるのが得意なタイプ。責任感が強く、決められたルール通りに物事を行うことができます。

しかし安定志向が強い分、前例のないことには警戒心を抱きやすい面も。優柔不断で、リスクをとることが苦手なため、チャレンジ精神に火がつきにくい傾向あり。予定外の出来事に遭遇すると、動揺してしまうこともあります。

《堅実家タイプにピッタリの勉強法》

失敗を恐れる気持ちが強すぎて、不安を感じやすいのが堅実家タイプの特徴です。

「この方法でいいのかな？」という思いが頭を離れず、参考書を買うときも1冊に絞るのが苦手。数冊買って、これはイマイチ、こっちもしっくりこない……と方針を定められない状態に陥りがちです。

これはＰＤＣＡの典型的なダメ手法、「仮説の同時進行」です。

仮説は、１つずつ実践して、１つずつ検証するのが鉄則。複数の仮説を並行して進めると、「うまくいかない原因」がどこにあるのかがわかりません。

最初に「テキストはこれ、勉強時間は１日トータル２時間、試す期間は１カ月」など、基本ルールを統一することを心がけましょう。堅実家タイプはルールに沿って行動するのが得意なので、ここを押さえるとうまくＰＤＣＡを回し始めることができます。

そして1カ月なら1カ月、お試し期間を終えて、「うまくいかない」と思ったらまた別の仮説を立てて取り組みます。

このときは、行動の記録が役に立ちます。

PDCAでは記録が大事だとお話ししましたが、堅実家タイプの不安を解消するにはとくに有効です。

勉強している時間帯、所要時間、テキストは目で見て覚えているか、書いて覚えているか、音読しているのか——などをきちんと見直せば、うまくいっていない原因がわかります。

それを突き止めたら、スッパリやめて別の方法に移りましょう。

ここで、変化を好まない堅実家タイプはまたまた「今までこれでやってきたのに」とためらいを感じます。

この心理を、**「サンク・コスト効果」**と言います。そこにかけた労力や費用を考えると変える気になれない、と思ってしまうことです。

しかし、うまくいかなかったことをダラダラ続けても埒（らち）はあきません。過去の損は過去の損。これから取り返せばいい、と割り切ること。

つまりは、変化に対する耐性をつけることが一番です。そして物事を変えるときは行き当たりばったりではなく、1個ずつ試して分析することが成功のポイントです。

タイプ⑦ 楽天家

好奇心旺盛、楽しいことが大好き。職場では陽気なムードメーカー、リーダーになれば明るい雰囲気でチームをまとめることができます。

新しいことに取り組むのは得意ですが、反面飽きっぽく、集中力が途切れがち。

単調な作業を延々と続けるのは大の苦手、正確さや緻密さが必要な作業も不得手です。嫌なことを避けたい気持ちが強く、ラクなほうに流れようとする傾向もあり。

《楽天家タイプにピッタリの勉強法》

このタイプにまず必要なのは「ワクワクする目標」。こうなったらいいな！というイメージを広げることから始めましょう。

ちなみに、男性におすすめの目標は「これを達成すれば、モテる！」です。実際、塾ではしょっちゅうこの手で楽天家タイプの男の子のやる気に火をつけています。

女性の場合は、「楽しそう」「面白そう」といったイメージに魅力を感じるようです。ワクワク度は下がりますが、「後々ラクできるよ」もめっぽう有効です。

さて一方、楽天家タイプの弱点は面倒くさがりで退屈しやすいことです。

従って、**独学はおすすめしません。**塾、教室、講座などに入って、勉強せざるを得ない環境をつくったほうがよいでしょう。

楽天家タイプは、単純作業も嫌いです。暗記作業などはもっとも苦手とするところです。

とはいえ勉強は何であれ、「覚えること」から始まるもの。暗記的要素のまったくない分野はなく、そこを経ないと理解には結びつきません。

そんなときに有効なのが**「リフレーミング」**です。

一つの物事を、違う角度や視野で見てみる、という手法です。

実は僕自身も楽天家タイプで、暗記は苦手なはずなのですが、「暗記は頭を使わなくていいから、ラクだよね！」と思うことで、けっこう楽しく乗り切れてしまいました。

「暗記は単調」という思いを、「『なぜこうなる』とか考えなくていいからラクじゃん！」という思いに切り替えると、これが意外にうまくいくのです。

なお、数学を勉強するときは、また切り替えて「思考するって面白いよね！」と思っていました。「結局どっちなんだ！」と言われそうですね。

しかし、このように「場合に応じて都合よく考える」ことができるのも楽天家タイプの強み。

良いところをうまく見つけて「面白いよね！」と自分に言えば、なんとなくその気になれてしまうのです。

それがうまくいかないときは、「これが終わったら美味しいものを食べよう！」など、ハッピーになれるような報酬を用意するのがおすすめです。

それでもやる気が出なければ、最初の「ワクワクする目標」を思い出しましょう。

「モテたいんだよね？　じゃあ、やろう！」と、自分にエンジンをかけられます。

タイプ⑧ 統率者

親分肌・姉御肌のリーダータイプ。「カリスマ社長」にはこのタイプの人が多く見られます。

人を束ねる力に秀でていて、決断力も抜群。逆境にも動じない自信や、道を切り開くパワーにも満ちています。

上に立つ資質は十分備えていますが、下の立場にいる場合は指示や強制を嫌い、反発心をあらわにする「難しい部下」になることも。自説を曲げたり、ライバルに華を持たせたりするのも嫌いです。

《統率者タイプにピッタリの勉強法》

そもそも統率者タイプは、人に「おすすめの勉強法」などを勧められるのが嫌いです。

自分のやり方は自分で決めたい、と考えるからです。

その上で、あえておすすめしたいのは「仲間を作ること」。

と言っても、献身家タイプのように「似たタイプ同士で助け合う」という形ではなく、統率者タイプがリーダーとなって、5～10人くらいのチームを「仕切る」ことです。

チームメンバーに担当部分を振り分け、勉強会を設けて発表してもらう「元締(もとじめ)」になるのが、もっとも適した勉強法です。

このとき、統率者タイプの人自身がテキストの一部を担当する必要はありません。自分はあくまで仕切り役、動いてもらうのはメンバー。学ぶ内容は担当者たちに教えてもらえばいい、というわけです。つまり、会社の経営者と同じですね。

ということは、経営者と同じく、方針を決めるのも統率者タイプの役目。学びたい内容を見極め、どんなテキストを使うか、誰に何を担当してもらうか、といったことを総合的に考えることが必要です。そのやり方に賛同してもらえるような信頼関係を、メンバーとの間に築いておくことも忘れてはいけません。

そうした仲間が見つからず、独学をする場合は、動画などの映像授業を活用すると良いでしょう。

講座などに通うと、固定されたカリキュラムで決まった時間に拘束されることになります。束縛を嫌う統率者タイプには、これが苦痛となります。映像ならば好きなタイミングで見られて、合わなければ別のものを見る、といった自由が利きます。

このように、自分で決めて自分で実行できる環境をつくるのがベストです。

タイプ⑨ 調停者

9タイプ随一の平和主義者。周囲との円滑なコミュニケーションのために、常に心を配る優しいタイプです。ガツガツしたところがなく、人に安心感を与えます。

しかしそのぶん、行動全般が無難に流れがち。その場の雰囲気に流される、内心「嫌だな」と思っても我慢するなど、本当にしたいことをしない・考えない傾向が見られます。

競争心に欠けるので、「やる気のない人」と思われることも。

《調停者タイプにピッタリの勉強法》

調停者タイプはチャレンジ精神に今一つ欠けていて、自分で目標を立てて頑張るのが苦手。

ですから、適切に指導してくれるコーチやメンターを見つけることが不可欠です。

ところが、これまた難しいことに、調停者タイプは意外にストライクゾーンが狭いのです。何をするにもまず「人に合わせる」ことを考えるので、合わない指導をされても我慢しがち。といって、本当はどうしたいかを明確に言うこともできません。なぜなら、それをじっくり考えたことがないからです。

結果、おとなしく従っているわりに成果につながらない、ということになり、指導者や親から「やる気のない子」「ダメな子」というレッテルを貼られてしまうことも。

そう、実は調停者タイプは、一番理解されにくいタイプなのです。

そんな調停者タイプの救世主は、同じく調停者タイプのコーチやメンター。

調停者タイプの指導者なら、「実は我慢してるんだな」「これならしっくりくるんだな」ということが、ピンときます。

この環境を得られてようやく、目標設定も、方法の確立も、やる気の喚起もできるようになるのです。

となると、すべきことは一つ。「調停者タイプの指導者を見つけるまで探し続けること」です。

ほかの8タイプなら、PDCAのPの方向性は3～4個ほど仮説を試せば定まってくるものですが、この場合は偶然の出会い頼み。いくつ目で「当たる」かわかりません。

そこでおすすめなのは、「体験入学」をとにかくたくさん試すこと。

色々な指導者に会って、「この人といるときは無理していないな、相手に合わせようとしていないな」と思えたら、それが「当たり」です。

なお、こうした「無理をしない」感覚をたくさん味わうことが、調停者タイプには必要です。

それによって、自分がどうありたいか、何がしたいか、初めて見えてくるからです。

「もっといい自分になりたい」――成長を望むモチベーションが、そこから生まれてくるでしょう。

タイプ	勉強のポイント
⑤研究者	・勉強は「得意なこと」ではなく、「苦手なこと」を中心に。 ・自分がしている勉強が目的に即しているかを常にチェックしよう！
⑥堅実家	・仮説を試す際の基本ルールを統一しよう。 ・仮説が合わないときは、「サンク・コスト効果」(211ページ)にとらわれず、スッパリ次へ！
⑦楽天家	・まずは「ワクワクする目標」が必要。 ・独学より、塾や講座に入って、勉強せざるを得ない環境を作るのがおすすめ。 ・「リフレーミング」(214ページ)をうまく使って楽しく勉強を進めていこう。
⑧統率者	・仲間を作って「元締」になり、周囲を巻き込みながら勉強を進めよう。 ・独学の場合は、動画などの映像授業の活用がおすすめ！
⑨調停者	・同じく調停者タイプのコーチやメンターを見つける。 ・「体験入学」をとにかく試して、自分に合う指導者を見つけよう。

９タイプ勉強法まとめ

タイプ	勉強のポイント
①完璧主義者	・コーチやメンターを見つける。一対一で教えを請うときのゴールデンサークル(195ページ)を身につけよう！ ・過去問などデータだけでなく、「生の情報」にも触れる。
②献身家	・自分と同じレベルの仲間とペアを組み、テキストを分担して担当部分を覚え、お互いに教え合う。献身家タイプ同士のペアがベスト。
③達成者	・コーチやメンターは不要。テキスト選びが決め手に！ ・目標は短期的なものをたくさん設定しよう。
④芸術家	・「目標の目的」を意識することが大切。 ・いったんやる気を出せばすごい集中力を発揮するので、具体的なスケジューリングや方法は決めすぎなくてもOK ！

勉強を継続させるコツ

――怠惰さを1ミリ変えてみよう

人間はもともと怠惰にできている！

「遠くのステーキより近くの牛丼」理論

勉強の目的は、自身の成長であること。
どんな人でも、頭は良くなること。
枠を外して考えれば、やる気が出る素晴らしい目標が設定できること。
そこに向かっていく「ＰＤＣＡ」で、自分専用の勉強法が確立できること。
性格に合わせた勉強法が、あなたをさらに成長させること。
――という話をしてきました。
ここまで来れば、あとは走り続けるのみ！

……と言いたいところですが、もう一つだけ、心得ておくべきことがありま
す。

それは「継続のコツ」。モチベーションがどんなに高くても、方法論がしっかりしていても、ふとしたことで勉強が続かなくなることは多々あります。

なぜかというと、**人は本来、とても怠惰な生き物だからです。**

「私は意志薄弱で、何をやっても長続きしません」と言う人がよくいますが、嘆く必要などありません。それが人間というものなのです。

ですから最初に、自分は怠惰だ、と認めましょう。

認めてこそ、「どんなに怠け者でも勉強を続ける工夫」ができます。

この章では、その工夫についてお話しします。

その基本として、まずお伝えしたいのは**「遠くのステーキより近くの牛丼」理論**。

聞きなれないネーミングだと思います。実はこれ、僕が命名した理論なので

す。

要するに、「モチベーションは物理的距離が開くほど低下する」ということです。

ステーキの名店に行きたい。でも電車で5駅の距離。通勤経路からも離れている――というとき、徒歩5分の牛丼屋さんのほうが魅力的に見えてしまう、という心理です。

遠距離恋愛中の彼女のことは大好きだけど、優しくしてくれる同僚のあのコのほうに心傾いてしまう、というケースも同じです。

子どもの不登校にも、学校と家の距離が関係しているのではないか、と僕は考えています。

もちろんケースごとに様々な、ときに深刻な事情もあるでしょう。しかし「遠くて通うのが面倒くさい」という単純な理由も、決して無関係ではないように思うのです。

学校ごとの不登校の件数と生徒の平均通学時間、あるいは不登校児と非不登

「遠くのステーキより近くの牛丼」理論

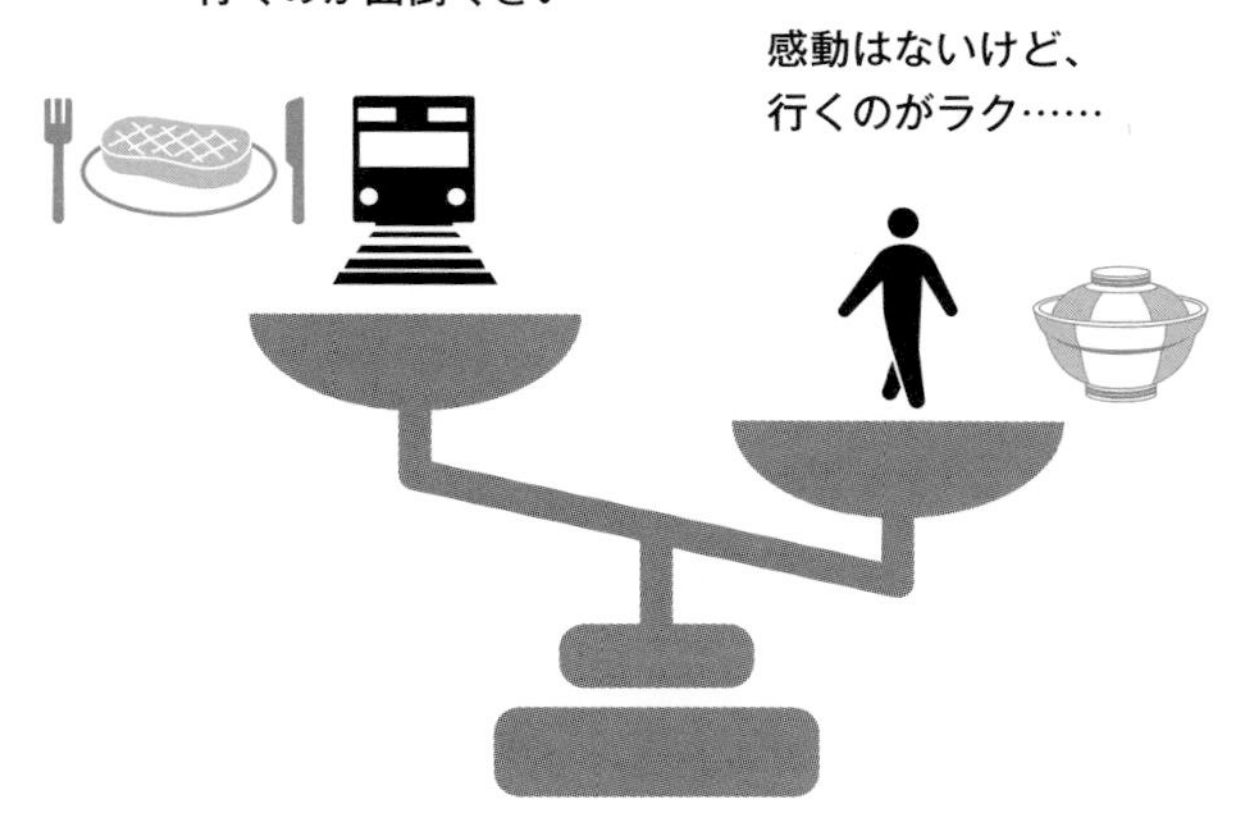

人間はもともと怠惰な生き物
どうしてもラクなほうに流されてしまう……

「面倒くさい」をいかに取り除けるかが、
継続の秘訣！

校児の通学時間などを調べたら、相関性が見えてくる可能性は大いにあります。

ともあれ、ここでいう「距離」とは、物理的な距離だけではなく、「面倒くさい」という精神的な距離のことも指します。人の行動は「面倒くさい」気持ちに強く影響されるということです。

この「面倒くささ」をいかに取り除くかが、継続の秘訣です。

「アフォーダンス」を使って面倒くささをコントロール！

そのもっとも簡単な方法は、**「アフォーダンス」**を利用することです。

アフォーダンスとは、ある物体に対して、人が「これは〜するモノだ」と感じる印象のこと。……と言っても、これだけではわかりにくいですね。

たとえば目の前にテレビがあって、手元にリモコンがあるとします。

あなたは、リモコンを、「このテレビをつけるためのモノ」だと思うでしょう。これがアフォーダンスです。

さて、そう思ったあなたは次にどうしたくなりますか？

そう、テレビをつけたくなりますね。

アフォーダンスは、次の行動を誘うものでもあるのです。

「勉強しないと、と思ってもすぐテレビを見てしまうんです」と言う人に部屋のレイアウトを聞くと、「そりゃ、そうなるだろう」と思うことが多々あります。

リビングの正面にテレビがあり、その向かいにソファ、すぐ手の届くところにリモコン。まさにアフォーダンスだらけ、テレビを見るのに最適な環境です。

ならば、そのアフォーダンスをシャットアウトするのが一番の対策です。

リモコンを戸棚の奥にしまい込む、テレビを壁に向ける、ソファのクッションを外して骨組みだけにする、など。

同じく、「すぐ漫画を読んでしまう」人なら、本棚から全部出して段ボールに詰め込んで押し入れにしまい込みましょう。

誘惑のモトを、「遠くのステーキ」にしてしまえばいいのです。

逆に、勉強に関わるものは「近くの牛丼」にしましょう。筆記用具やテキストは、手を伸ばせばすぐに取れるところに置いておくのが基本です。

なお、「テレビを完全にシャットアウトするのはさすがに嫌」という人にお勧めしたいのが、**「テレビのそばに、暗記したいことを書いた紙を貼る」**という方法です。

覚えるべきことを大きめの紙に、マジックで濃く書いて、テレビの周辺に貼るのです。

とはいえ、人間の怠惰さは筋金入りですから、貼るだけではなかなか見る気になりません。

そこで、「CMのたびに声を出して読む」などのルールを作りましょう。

これなら、ソファに座ったまま、目を動かし、声を出すだけの手間しかかかりません。

「面倒くささ」をミニマムにできるこの方法、「トイレ」「キッチン」「ベッドの上の天井」など、あらゆる場所で活用できます。ぜひ、家の中を張り紙だらけにしてみてください。

なぜ途中で挫折してしまうのか？

「日記が続く人」は成功する⁉

「面倒くさい」という気持ちを起こさせる、**「〜しないといけない」**という思いも、手ごわい敵です。

この「〜しないと」を考える上で参考になるのが、三日坊主界の代表選手（？）、「日記」です。

「日記を毎日つけられる人は、成功しやすい」と僕は思っています。

というのも、日記とは「記録」にほかなりません。

人の記憶は、いとも簡単に改竄（かいざん）されるもの。しかし記録をつけておけば、その誤差を修正できます。勉強に使えば、改善点の発見、ひいては成長に非常に役立ちます。

しかし、日記を毎日つけようとしても、ほとんどの人が挫折するものです。なぜでしょうか？　挫折のきっかけを思い起こしてみましょう。

たとえば、「出張先に日記帳を持っていくのを忘れた」「1日空いてしまうと嫌になって、やめてしまった」などはよくあるケースですね。

日記を続けられる人は、手元に日記帳がなくても平気です。ホテル備え付けの便箋や、レストランの紙ナプキンなどに書いて、帰宅してから日記帳に貼り付ければいい、と考えるからです。

とすると、もうおわかりでしょう。**日記が続かない人は、日記をつけるのが面倒くさくなるような「〜しないと」を作りすぎているのです。**

「このペンを使わないといけない」「毎晩寝る前には必ず書かないといけない」などと考えるのはムダ。書く道具など何でもいいし、朝に書いたっていいのです。

「面白いことを書かないといけない」という思い込みも、よくあるパターンです。

こういう人は、「今日は書くことがない」と思って頭を抱え、そのうちに日記をつけるのがおっくうになります。

毎日生きていると、とりたてて言うべきことがない日なんていくらでもあります。

そんな日は「特になし」や「昨日と同じ」でいいのです。

ありのままのことを、ただ書いていくのが記録です。

たった一言だけの記述でも、それが貴重なデータとなります。5年後に読み返したとき、「この時期は平坦だったんだな、すっかり忘れてた」「毎年5月ごろは、いつもこういう退屈モードになっているな」などの発見ができます。

変に条件をつくらず、質にも量にもこだわらず、ただ書くこと。

それが続けるコツであり、後々の自分へと役立てていくコツです。

勉強も、これとまったく同じです。「机の前に座らなくては」「このノートを使わなくては」などと考え出すと、その条件が満たせないときに体が止まってしまいます。

トイレの中でも勉強はできますし、ノートがなければチラシの裏で代用できます。

学びに関連することを、とにかく何かする。それを毎日していれば、気持ちが途切れることはありません。

「時間のあるときに……」が挫折のモト

あなたは「あと7分ぐらいで家を出る」という状況で、勉強を始めますか？始めませんよね。

では、どれくらい時間的余裕があれば、勉強しようと思いますか？

僕は250人にこの質問をして、平均値を出しました。

結果、人は「だいたい2時間ぐらいあれば、勉強しようと思う」ことがわかりました。

しかし、ここからが大事なのですが、**そんな日は待っていてもやってこない**のです。

会社勤めの人はもちろん、自由業や専業主婦・主夫の人でも、2時間はかなりのハードル。三度の食事、家事、身支度、お風呂、買い物……そうした用事の合間を縫って、2時間を確保するのは至難の業です。

ですから、「まとまった時間」を求めるのはやめにしましょう。

そして、**「少しでも時間ができれば勉強する」**というモードに切り替えましょう。

つまりは、「スキマ時間活用」です。長時間確保できるときはもちろん、そこに加えて、10分、20分の合間の時間も勉強に充(あ)てるのです。

高い目標を達成する人は、必ずこれをしています。

僕の妹は整形外科医なのですが、医師という仕事は「医学部に入るまで」の努力もさることながら、医師になってからも日々猛勉強しないといけないものなのですね。

僕の家族と妹とで遊園地に遊びに行ったとき、こんなことがありました。妹がトイレに向かい、数分後に僕も行ったところ、女性用のトイレには例によって、外まで長蛇の列ができていました。

そこに並んでいた妹は、小さなハンドブックを持って、勉強をしていました。いつもバッグに携帯して、少しでも時間ができれば読めるようにしていたのです。

このように、いつでもどこでも勉強できる態勢を整えておくことはとても大事です。テキストの覚えたい範囲をスマホで写真にとったり、コピーして小さくたたんでポケットに入れたりして、電車の待ち時間や、レジに並んでいる間などに見られるようにしましょう。

もちろん、スキマ時間はあくまでスキマですから、分断されるのが大前提。

しかし、これにもメリットがあります。

一連の物事を、途中で区切ると続きが気になりますね。会話中、相手が言いかけたことを途中でやめると「何？　何？」と思いますし、やりかけの仕事があるときも落ち着かない気分になります。

「中断」による関心の持続――これを心理学用語で「ツァイガルニク効果」と言います。

主人公が大ピンチのところで「来週に続く」になるドラマは、まさにその手法を活用しているわけです。

それを踏まえると、よくある「切りのいいところまで勉強する」のは賢い方法とは言えません。**まとまった時間がとれたときも、あえて「少し残して切り上げる」のが正解。**そうすれば、翌日「続きをやらないと」という気持ちになるでしょう。

人生を成功させるために必要なものとは？

人生かけて長続きさせたいことは何ですか？

日々の継続のコツ、おわかりいただけたでしょうか。

今度は一気に視野を広げて、「一生かけて勉強する姿勢を育む」ことについて考えてみましょう。

社会人の勉強は「人のニーズに応える」ためのものだということは、もうご存じの通り。

勉強をして、いい仕事につなげる、これが社会人の本分です。

では、「いい仕事」とは何でしょうか。

僕は、その条件は3つあると考えています。即ち、

①「ワクワクすること」
②「儲かること」
③「社会貢献になること」

この3つが揃っていないと、仕事は絶対に長続きしません。

本人がワクワクしていて、大儲けもできるけれど、社会に貢献しないもの、社会の害悪になるものは、いずれ非難を受け、淘汰（とうた）されていきます。

ワクワクと社会貢献だけでもダメです。志の高いNPOなどにはしばしばこうした組織がありますが、資金不足で継続が困難なケースは枚挙にいとまがありません。

儲かって社会貢献になることでも、本人がワクワクしていなければすぐに飽きて、辞めてしまうでしょう。

これを逆から見てみましょう。「2つしか揃っていない状況」を見るたびに、「どうしたら3つ揃うだろうか」と考えると、それは学びとビジネス創出のチ

ヤンスになります。

たとえばある人が、「『引きこもりゼロ』の世の中になったらいいなあ！」と考えているとしましょう。

この場合、ワクワクと社会貢献の要素は揃っていて、儲かるノウハウは未発見。

ならばそれを見つけるために周辺情報を集め、背景を調べ、成功事例を探し、専門家に聞く——そう、その人は俄然学び始めることになります。

そうして第三の要素が見つかったら、「継続するビジネス」が始まります。

ビジネスも個人も、継続しない限り成長しないものです。

さらに言うと、**ビジネスとは「エコシステム」**だと僕は考えています。実はこれ、KADOKAWAの角川歴彦（つぐひこ）会長の受け売りです。

エコシステムの本来の意味は「生態系」。転じて、生物の生態系と同じように、生産の連鎖をつくりだす共存共栄のシステムを指します。

咲いた花が実を結び、鳥が実を食べ、種を遠くに運び、またそこで花が咲くように、生命を育んでいく。そんな連なりと広がりを持つものなのです。

人と競っているだけでは必ず先細りする！

「共存共栄」と言うと、「いや、でもビジネスって、結局競争じゃないの？」と考える人もいるでしょう。

しかしそれは、一面的な見方と言わざるを得ません。

本当に成功する人、一生成功し続ける人は、共存共栄的な社会を目指して「人のために」働く意識を持っています。

僕は学生時代を「個人主義の国」と言われるアメリカで過ごしましたが、あの国で学んだのはむしろ、「経済合理性を追求すると、結局個人主義ではダメだ」ということでした。

自分の成功のことだけを考える個人も企業も、意外に早く限界を迎えるのです。ライバルを蹴落として上に登ろうとするような人や組織は、信用されないからです。

アメリカよりも、むしろ日本の企業のほうが「個人主義」になっているように僕には思えます。

人気タレントをライバル局に出させないようにするテレビ局などはその典型。技術や人材を自分の手元に囲い込もうとすると、業界全体が活気を失くしていきます。

これと対照的なのがネットの世界です。ユーチューブ（YouTube）では、人気ユーチューバー同士が互いのチャンネルに出演するなど、盛んに交流する文化があります。互いが互いのファンの目に触れる機会を持てるため、チャンネル登録者数がさらに増えるというわけです。まさに共存共栄の考え方です。

今、どちらの業界のほうが活気にあふれているか、考えるまでもないでしょう。

あなたの周りの人たちを見ていても、すぐにわかるはずです。

誰しも、「俺のためにせっせと働け」と言う自己中心的リーダーより、「自分はこんな風に社会の役に立ちたい、社員の皆にも幸せでやりがいのある職場環境をつくりたい」と言うリーダーにこそ、ついていきたいと思うはずです。

このように、利他的な姿勢を持てば持つほど、多くのファンや協力者がその人のもとに集まってきて、大きなことを達成できるのです。

エピローグ――「最初の生徒」がくれた、終わらない志

この本を通して、僕は「自己の成長」について語ってきました。その成長は、究極的には「他者のためのもの」です。人のために自分を成長させる。これが最終目的です。

成長というテーマを考える上で、よく引用されるのが「マズローの5段階欲求説」。人間の欲求は「生存」から始まり、それが満たされれば「安全」、次に「所属」……という風に、成長とともにレベルを上げていき、その最高レベルが「自己実現」である、という説です。

この最上部まで上ってしまった人は、次はどうするでしょうか。「他者実現」を目指し始めるのではないか、と僕は考えています。僕自身も、そうだからです。

僕は今、教育に携わっていることに幸福を感じていて、その意味では「自己

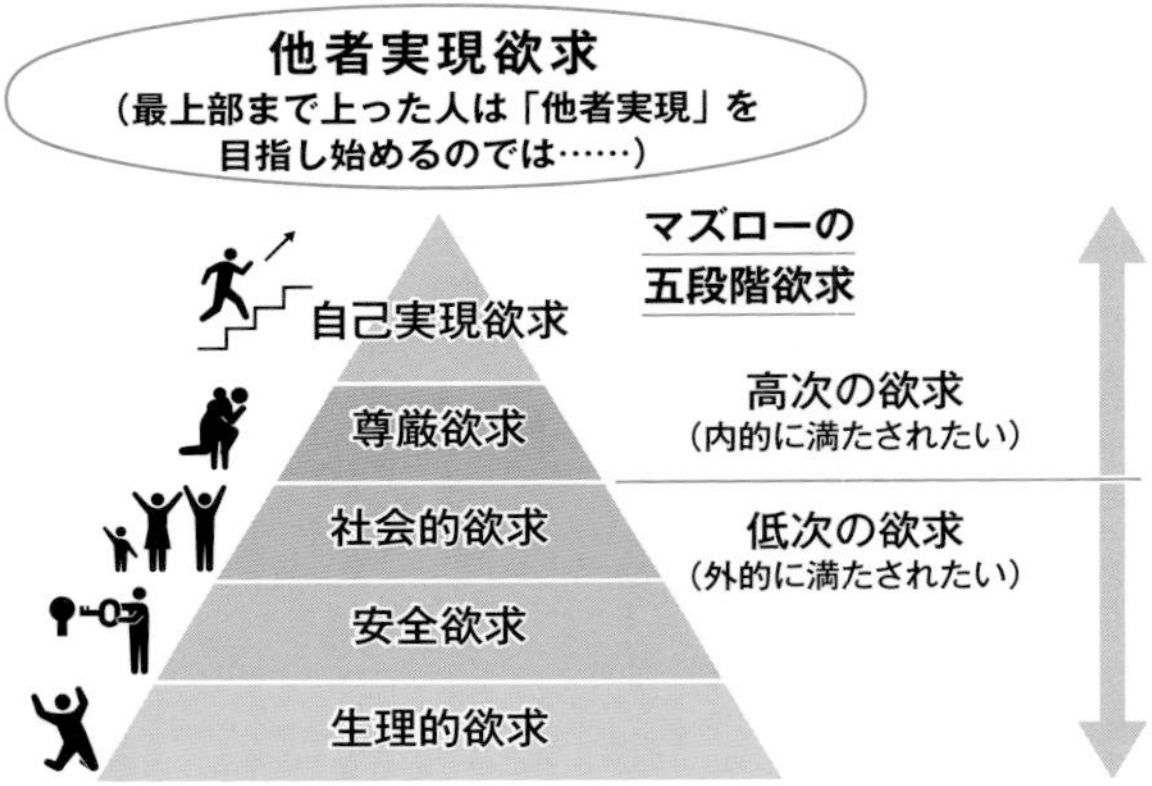

他者実現欲求
（最上部まで上った人は「他者実現」を目指し始めるのでは……）

マズローの五段階欲求

自己実現欲求
尊厳欲求
社会的欲求
安全欲求
生理的欲求

高次の欲求
（内的に満たされたい）

低次の欲求
（外的に満たされたい）

実現」を日々果たしています。しかしそれは「ゴール」ではなくて、むしろ挑戦の連続です。

もっとたくさんの人、あらゆる世代や立場の人が自己実現をするサポートをしたい。そのために必要な知識をもっと得たい――と、貪欲(どんよく)に望み続けています。

振り返れば、その原点は、まさに僕が塾の講師になったときの経験にありました。

第1章で、初めての生徒・Yくんの話をしましたね。新人講師の僕を慕ってくれて、ダメ生徒から変身して名古屋大学に行った、あの彼です。彼も「弁護士になって困っている人を助けたい」という、他者のための志を持つようになりました。

しかし今思えば、僕が彼にもたらしたものよりも、彼が僕にもたらしてくれたもののほうが遥かに大きいように感じます。

告白しますと、彼に出会うまでの僕は、常に「自分が一番でいたい」と考えて生きていました。自分の能力を高めることにしか、興味がありませんでした。

そんな僕が、Yくんと出会って初めて、「人の夢を叶える」世界を知ったのです。もっとも、当時の僕はそこまで深く考えず、「教えるのって楽しい！面白い！」としか感じていませんでした。

この本を読んでくださった皆さんも、若い間はそれでいいと思います。しかし、物事を学ぶとき、仕事をするときに「この知識、この仕事を何に役立てるか」を頭の隅に置いておくことだけは、覚えておいてください。成長の階段を上るたびに、それは大きく、しかも明確なイメージを結び始めるはずです。

そんな皆さんの抱く思いを、僕は心から応援します。それが皆さん一人ひとりと、皆さんや僕が暮らすこの世の中を、もっと良くしていくことを、願ってやみません。

文庫化に寄せて

この本が世に出たのは２０１８年の初頭でした。それから約2年半で文庫化することができました。とても嬉しく思っていますし、関わってくださった皆さんのおかげです。本当にありがとうございます。

さて、私がこの原稿を書いている２０２０年3月は、新型コロナウイルスが世界中で猛威を振るい、世の中が完全に萎縮モードに入っている状況です。私の子どもたちも学校が休みとなり、だいぶ長い春休みをエンジョイしています。そして世の中は不安に包まれ、世界中の経済が停滞しています。

興味深いと思ったのは、イギリスのＢＢＣ（英国放送協会）の内容で、今回のことで中国では、大気汚染が著しく解消されたそうです。また、これが長引くと、地球温暖化も解消されるのではないかとも言われています。そのうち人類は、今は負けていてもきっとこの苦難も乗り越えて、さらなる飛躍を遂げるでしょう。

つまり、何が言いたいかというと、どんなに大変なことや辛いこと、多くの人にとって不安なことでも、意外と「良いこと」もありますし、長期的に見ればそれがキッカケになって新しく息の長い素晴らしいものを生み出す可能性もあるということです。そして、ふとしたことがキッカケで、これまで長いこと当たり前だったことが変わる瞬間になる可能性もあります（ゲームチェンジ）。今回のケースで言うと、経済発展一辺倒で世界は良いのかという考えや、満員電車は避けよう、リモートワークにしようとか、デジタルをもっと活用しようという企業の動き、また教育も家で受けられるようにデジタル配信しようとする動きなどを指します。

私自身は、この2年ほどの間に大きな変化がありました。一番大きなことで言えば、吉本興業ホールディングス株式会社の社外取締役に就任し、さまざまな事業に関わることになったことです。例えば、吉本の新たなデジタルのスターを誕生させようと始めた、ユーチューブチャンネル「カジサック」は芸人の中で初めて登録者数100万人を達成しました。一見「まったく異なること」に携わっているように見えますが、本質的には塾の先生、あるいは経営者としてやっていることと同じなんですよね。

それは、「一人ひとりに向き合い、その人の最も得意なことを、得意なジャンルでさらに伸ばすために戦略を考えて伴走する」ということ。受験指導であろうが、会社の経営であろうが、タレントの育成であろうが、やることは本質的にすべて同じです。

ちなみに、カジサックこと、漫才コンビ「キングコング」の梶原雄太さんとは、ユーチューブをどうやっていくか、いろんなことを決めていったのですが、最初の打ち合わせで、梶原さんが機械に弱いということが判明しました。あまり興味もないとのことで、非常に古いスマホを使っておられたので、「とりあえず、これを新しいのに変えてください」とお願いしました。そして、「今後ユーチューブのチャンネルを開設するまでの間に、世の中のニーズを知るために、TikTokをやってほしい」「今、世の中の人がどんな動画を欲しているかがわかるように、テレビで共演するタレントさんに協力を仰ぐなどして、『毎日』動画を投稿してほしい」とお願いしました。梶原さんは数日後には新しいiPhoneを購入し（すごい行動力です！）、毎日TikTokの動画を撮影して、投稿していきました。そしてあるとき、「ノンスタの石田の人気がエグいことに気づきました」とおっしゃっていました。いろんなタレントさんとコラボした動画を撮っていく中で、人気漫才コンビ「NON STYLE（ノンスタイル）」の石田さんとの動画の評価と再生回数が異常に多かったのです。さらにお子さんとの動画も撮るなどしながら、チャンネル開設までの数か月間、毎日欠かさず動画を投稿し、「微調整」を繰り返し、世の中の反応を摑んでいきました。

その後、ユーチューブのチャンネルを開設してから1年3か月で登録者数を100万人にする、それができなければ芸人を引退するというメッセージを発信したところ、「絶対ムリ」「ユーチューブを舐めるな」という罵詈雑言のコメントとともに「バッドマーク」が3万8千以上つきました。もちろん、これまで名だたる芸能人がチャレンジをして、返り討ちにあってきたジャンルへの挑戦ですから、そのように反発を招くのはある意味で当然のことでした。しかし、彼は不退転の決意とともに、毎日微調整、微修正を繰り返しながら動画を撮影し、夜も寝ずにコメントに全部目を通し、視聴者の意見を聞きながら、自分の形を作り上げていきました。そして、1年経たずに100万人を達成し、1年と5か月経った今では180万人以上の人が彼のチャンネルを登録してくれています。

そして何より、彼の挑戦が成功したことで、芸能界全体がユーチューブに前向きになり、多くのタレントさんたちがユーチューブチャンネルを開設するようになりました。一人が成功すると、続々と後に続く人が出てくるわけです。明らかに梶原さんは芸能界という世界の「ゲームチェンジャー」になりました。

読者のあなたにおかれましては、誰もが無理というようなことでも、自分がやりたいことは、ぜひ日々成長、微調整しながらトライしてみてください。あなたが、新しいゲームチェンジャーと呼ばれるようになることを期待しております。

坪田信貴

著者紹介
坪田信貴（つぼた　のぶたか）
坪田塾塾長。これまでに1300人以上の子どもたちを子別指導し、心理学を駆使した学習法により、多くの生徒の偏差値を短期間で急速に上げることで定評がある。また、起業家としての顔も持つ。人財育成能力、チームビルディング能力の高さから、多数の上場企業に招かれ、マネージャー研修や新人研修を行う。ＴＶ・ラジオ・講演会でも活躍中。主な著書に、累計125万部突破のベストセラーとなった『学年ビリのギャルが１年で偏差値を40上げて慶應大学に現役合格した話』『人間は９タイプ 子どもとあなたの伸ばし方説明書』『人間は９タイプ 仕事と対人関係がはかどる人間説明書』『バクノビ 子どもの底力を圧倒的に引き出す339の言葉』（以上、KADOKAWA）、『才能の正体』（幻冬舎）がある。

編集協力――林 加愛

本書は、2018年1月にＰＨＰ研究所より刊行されたものである。

PHP文庫 試験でも仕事でも大成功！
世界に一つだけの勉強法

2020年5月5日　第1版第1刷

著　者　坪田信貴
発行者　後藤淳一
発行所　株式会社ＰＨＰ研究所
東京本部　〒135-8137　江東区豊洲5-6-52
PHP文庫出版部　☎03-3520-9617(編集)
普及部　☎03-3520-9630(販売)
京都本部　〒601-8411　京都市南区西九条北ノ内町11
PHP INTERFACE　https://www.php.co.jp/
組　版　有限会社エヴリ・シンク
印刷所
製本所　図書印刷株式会社

ISBN978-4-569-90013-1

JASRAC　出2003286-001